이동기 영어
신경향 ALL IN ONE

공무원 영어의 시작과 끝

2026 New Trend | 어휘·생활영어·독해

PREFACE
저자의 글

2025년부터 달라진 시험!
길잡이가 필요하다!

매번 시험이 끝나고 나면 수험생들의 공통적인 반응은 '영어가 가장 어려웠다'는 것입니다. 시험 관련 각종 매체에서도 영어가 공무원 시험의 합격을 좌우하는 과목이라는 조사 결과를 발표하기도 합니다. 실제 합격자들과 수험생들의 이야기를 들어봐도 영어 과목에 대한 부담감이 상당히 크다는 것을 알 수 있습니다.

더군다나 2025년 공무원 시험의 영어 과목은 문제 출제 기조가 개편됨에 따라 큰 변화가 있었습니다. 공무원 시험 출제 소관 부서인 인사혁신처는 영어 과목의 문제 출제 기조가 변경됨을 공지하였고 2025년은 새로운 출제기조에 따라 9급 공무원 영어 시험이 출제된 첫 해입니다. 하지만 앞으로의 시험을 예상하고 대비하기에는 1개년 기출 문제로는 턱없이 부족합니다. 따라서 그 어느 때보다도 정확하게 시험을 예상하고 대비할 수 있도록 도와주는 전문가이자 길잡이가 필요한 때입니다.

가장 효과적인 영어 학습의 멘토

영어 한 과목이 아닌 다섯 과목을 공부해야 하는 공무원 수험생들에게 '집중해야 할 것과 버릴 것을 가려 주고', '먼저 할 것과 뒤에 할 것의 순서를 알려 주며', '시간을 적게 들이고도 점수를 지속적으로 올릴 수 있는 방법을 제시하는 것'이 올바른 멘토, 올바른 스승의 역할이라고 생각합니다.

"이동기 영어"

내 이름을 걸고, 수험생들이 합격으로 가는 길에 열심히 노력한 만큼 그에 합당한 결과를 받을 수 있도록 돕는 가장 효과적인 영어 학습 멘토임을 자부합니다.

10년간 공무원 영어 1위라는 수치 또한 수많은 합격생을 통해 검증된 신뢰와 이름임을 증명합니다.

강의와 시험 분석을 통해 쌓인 영어 학습에 대한 모든 노하우와 지식을 쏟아 공무원 영어 시험의 전 영역에 걸쳐 꼭 필요한 모든 지식을 담은 이 교재가 지금까지 그랬듯 2025년 시험 개편 이후에도 합격으로 가는 길에 훌륭한 길잡이가 될 것임을 확신합니다.

마지막으로 더 좋은 교재와 강의를 위해 늘 고생해 주는 '이동기 영어교육연구소' 연구원들에게 깊은 감사의 말을 전하고 싶습니다.

2025년 5월
노량진 연구실에서
이동기

2026
이동기 영어 커리큘럼

변화를 선점하는 新경향 공무원 영어,
2026 이동기 영어가 이번에도 트렌드를 리드합니다.

정규 커리큘럼

STEP 1 기본심화	新경향 공무원 영어 All-In-One 문법·구문 독해 어휘·생활영어	
STEP 2 문제풀이	新경향 실전 문제풀이 N제 문법·구문 독해 어휘·생활영어	
STEP 3 파이널	기적의 특강	동형 모의고사 시리즈
新경향 하프 (매일 학습지)	Foundation (영역별 강화)	Completion (실전)

선택 커리큘럼

기초	친절한 꿀문법 & 친절한 꿀독해
입문	新경향 공무원 영어 [문법·구문]
어휘	新경향 이동기 공무원 VOCA

GUIDE
공무원 영어 시험 가이드

공무원 영어 문제 구성

각 시험별로 다소 차이가 있긴 하지만 공무원 시험은 크게 4가지 영역으로 구성되며, 그 문항 수와 영역별 비중은 다음과 같다.

영역		문항수	출제 비중	
비독해	어휘	2	10%	35%
	생활영어	2	10%	
	문법	3	15%	
독해		13	65%	
총계		20	100%	

공무원 영어 시험에서 독해는 거의 70%라는 매우 높은 비중을 차지하지만 문법과 어휘, 생활영어라는 나머지 35%를 득점하지 못하면 절대 합격 평균 점수인 80점 이상을 거둘 수 없다. 주로 수능 시험에만 익숙한 공무원 시험 준비생들이 이 점을 제대로 파악하지 못하고 학창 시절 가지고 있던 독해력에 의존해서 영어 시험을 봤다가 큰 코를 다치는 일이 많다. 문법, 어휘에서 득점을 하지 못한 데다가 독해의 지문 유형도 수능과 공무원 시험은 큰 차이가 있기 때문에 독해 문제도 결국 거의 찍다시피 정답을 고르고 낙제점을 받는 경우도 매우 흔하다. 이는 어휘, 문법, 독해라는 전 영역의 균형 잡힌 학습의 필요성을 잘 보여 주며, 학습의 순서 또한 매우 중요하다는 것을 보여 준다.

예시 1 공무원 영어 문법 문제 (1)

1. 밑줄 친 부분에 들어갈 말로 가장 적절한 것은?

> Whitworths, a retailer offering online grocery shopping, says it has discovered that some staff members who are paid a salary _____ paid enough in recent years.

① may not have been
② should not have
③ would not be
④ will not be

> **분석** 인사혁신처에서 발표한 출제기조 전환에 따라 2025년도에 등장한 新유형의 문법 문제이다. 매 시험에 1문제 정도 출제될 것으로 예상되며, 빈칸의 앞뒤에서 문장의 시제, 문장의 구성, 품사별 단어의 쓰임새 등을 근거로 삼아 올바른 문장이 되도록 빈칸을 완성해야 한다.

예시 2 　 공무원 영어 문법 문제 (2)

1. 밑줄 친 부분 중 어법상 옳지 않은 것은?　　　　　　　　　　　　　　　　　　2025 국가직 9급

> The city opened the Smart Senior Citizens' Center, a leisure facility that offers ① customized programs for the elderly. It ② features virtual activities such as silver aerobics and ③ laughter therapy, monitors health metrics in collaboration with public health centers, and ④ including indoor gardening activities.

분석 제시된 네 개의 선택지 중 문법적으로 바른 또는 틀린 것을 선택하는 문제이다. 해당 부분에서 시험에 출제될 만한 '문법 포인트'를 파악하고 정확한 판단을 해야 한다는 점에서 충분한 학습과 대비가 필요한 문제이다.

예시 3 　 공무원 영어 어휘 문제 (빈칸)

1. 밑줄 친 부분에 들어갈 말로 가장 적절한 것은?　　　　　　　　　　　　　　　　2025 국가직 9급

> All international travelers must carry acceptable _____ when entering Canada. For example, a passport is the only reliable and universally accepted document when traveling abroad.

① currency　　　　　　　　② identification
③ insurance　　　　　　　　④ luggage

분석 빈칸에 들어갈 단어를 유추하는 문제로서 올해부터 매 시험에 2문제 정도 출제된다. 지금까지의 어휘 문제가 단순 암기를 기반으로 했다면 2025년도부터는 문장의 의미를 이해하고 빈칸의 앞뒤 맥락을 파악하는지를 묻는 유형으로 달라졌다. 따라서, 어휘의 정확한 뜻을 암기하는 것은 물론이고 문장 전체의 의미를 파악할 줄 아는 이해력도 길러야 한다.

GUIDE
공무원 영어 시험 가이드

예시 4 공무원 영어 생활영어 문제

1. 밑줄 친 부분 중 어법상 옳지 않은 것은?   `2025 국가직 9급`

Alex Brown
Hello. Do you remember we have a meeting with the city hall staff this afternoon?
10:10 am

Cathy Miller
Is it today? Isn't it tomorrow?
10:11 am

Alex Brown
I'll check my calendar.
10:11 am

I'm sorry, I was mistaken.
The meeting is at 2 pm tomorrow.
10:13 am

Cathy Miller
Yes, that's right.
10:13 am

Alex Brown
You know we don't have to go to city hall for the meeting, right?
10:15 am

Cathy Miller
_____
It's sometimes more convenient.
10:16 am

Alex Brown
I agree. Please share the meeting URL. Also, could you send me the ID and password?
10:19 am

Cathy Miller
Sure, I'll share them via email and text.
10:19 am

① Yes, it's an online meeting
② Yes, be sure to reply to the email
③ No, I didn't receive your text message
④ No, I don't have another meeting today

분석 인사혁신처에서 발표한 출제기조 전환에 따라 2025년도부터 메신저상에서 이루어지는 대화 문제가 새롭게 출제되었다. 즉, 매 시험에 일반적인 대화 및 메신저를 활용한 대화를 다루는 총 2개의 생활영어 문제가 출제된다. 다양한 상황별 주요 표현들을 암기해둔 다음, 빈칸 앞뒤의 내용을 근거로 삼아 대화의 전체적인 흐름이 자연스럽게 이어지도록 빈칸을 완성하면 된다.

예시 5 　공무원 영어 독해 문제 (1)

1. 다음 글의 목적으로 가장 적절한 것은?　　　　　　2025 국가직 9급

To: citycouncil@woodvile.gov
From: headcouncil@woodvile.gove
Date: April 3, 2025
Subject: Attention Council

Dear Members of the Woodville City Council,

I am writing to inform you of several issues in our community that need attention. A resident, John Smith, of 123 Elm Street, has reported problems with the road conditions on Elm Street, especially between Maple Avenue and Oak Street. There are many potholes and cracks that have worsened after recent heavy rain, causing traffic disruptions and safety hazards. Even though temporary repairs have been made, the problems continue.

The resident is also concerned about poor lighting in Central Park, especially along Park Lane, because broken or missing streetlights have led to minor accidents and lowered property values. He requests that the Council repair Elm Street and improve the lighting in the park.

I urge the Council to address these issues for the safety and well-being of our community. Thank you for your attention to these matters. I trust we will work together to resolve these issues effectively.

Sincerely,

Stephen James
Head of Woodville City Council

---

① to express gratitude to the Council for their efforts
② to invite the Council to visit Central Park
③ to solicit the Council to deal with the community problems
④ to update the Council on recent repairs made in the area

분석 인사혁신처에서 발표한 출제기조 전환에 따라 2025년도에 등장한 新유형의 독해 문제이다. 위와 같이 이메일 지문을 제시하고 글의 목적을 묻는 문제가 출제되는 유형과, 공지문을 제시하고 글의 제목과 내용의 일치/불일치를 묻는 2개의 문제가 출제되었다. 즉, 하나의 지문에 2개의 문제가 딸린 유형의 문제가 새로 등장한다. 글의 유형별 특징을 파악해서 체계적으로 문제를 해결할 수 있도록 해야 한다.

GUIDE 공무원 영어 시험 가이드

예시 6   공무원 영어 독해 문제 (2)

1. 주어진 글 다음에 이어질 글의 순서로 가장 적절한 것은?   2025 국가직 9급

> The idea that society should allocate economic rewards and positions of responsibility according to merit is appealing for several reasons.

> (A) An economic system that rewards effort, initiative, and talent is likely to be more productive than one that pays everyone the same, regardless of contribution, or that hands out desirable social positions based on favoritism.
>
> (B) Rewarding people strictly on their merits also has the virtue of fairness; it does not discriminate on any basis other than achievement.
>
> (C) Two of these reasons are generalized versions of the case for merit in hiring—efficiency and fairness.

① (A) – (C) – (B)
② (B) – (C) – (A)
③ (C) – (A) – (B)
④ (C) – (B) – (A)

[분석] 공무원 영어 시험에서 다뤄지는 중요한 문제 유형에는 글의 주제 묻기, 빈칸 완성하기, 어색한 문장 제거하기, 글의 순서 배열하기, 주어진 문장 삽입하기 등도 포함된다. 이런 유형은 주로 과학기술, 의학, 경제, 사회, 문화, 예술 등을 소재로 한 수준 높은 학술 지문이 주어지므로 지문과 선택지를 단순히 해석하는 방식으로는 정해진 시간 내에 문제를 풀기 어렵다. 따라서 효율적인 독해 스킬을 사용하여 시간을 줄이고 정확한 근거를 찾아 정답을 선택해야 하며, 이를 위해 다양한 유형과 글의 소재에 두루 익숙해질 수 있도록 꼼꼼히 준비해야 한다.

GUIDE
공무원 영어 시험 가이드

공무원 영어 학습 순서

독해의 비중이 크다고 해서 영어에 대한 기본적 이해가 갖춰지지 않은 상태로 무턱대고 독해 문제를 푸는 데 많은 시간을 들여도 들이는 시간에 비해 독해 실력이 크게 향상되지 않을 뿐만 아니라 문법과 어휘라는 중요한 영역을 놓치게 되는 우를 범하게 된다. 독해 지문에 등장하는 문장들은 수많은 단어가 원칙에 기반해서 구성된다는 점을 생각해 보자. 따라서 어휘력을 갖추고 실용적인 문법에 대한 이해가 충분할수록 독해력은 함께 상승하게 된다. 즉, 우선 문법과 어휘의 학습을 통해 이 두 영역의 점수 상승뿐만 아니라 독해력의 기본 실력을 쌓는 것이 가장 우선시되어야 한다. 이후 독해력 향상이 필요한데, 무턱대고 문제를 푸는 방식으로는 절대 점수가 오르지 않는다. 아는 단어를 제멋대로 조합해서 의미를 상상해 내고 시간은 들일대로 들여도, 결국 근거 없이 대충 답을 고르고 운을 바라는 비효율적인 영어 학습이 되는 것이다. 따라서 각 영역별로 가장 효율적인 학습법을 가지고 학습을 해야만 영어 한 과목이 아닌 5과목으로 평가하는 공무원 시험에서 단기 합격이라는 목표를 성취할 수 있다.

공무원 영어 영역별 학습법

[문법]

시간 효율적 학습법 `'이해'하는 빠른 이론 정리 → 지속적인 문제풀이`

영문법에 대한 거부감과 낯선 느낌을 깨뜨리기 위해서는 우선 영문법을 '이해'하는 것이 필요하다. 시험에 나오지도 않는 방대한 문법 이론을 학습하거나 모든 문법 사항을 암기하는 학습은 절대 피해야 한다. 결국 공무원 시험 문제는 이론을 묻는 것이 아니라 이론의 적용을 묻는 것이다. 모든 이론 사항을 달달달 암기한다고 해도 문제에 적용하지 못한다면 시간만 낭비하는 셈이다. 이론은 핵심 위주로 빠르게 정리하고 지속적으로 문제를 풀며 문제풀이 능력을 키워 나가야 고득점을 할 수 있다.

[어휘·생활영어]

기출 단어로 집중하여 반복 암기 `반복만이 살길이다!`

우선 수능 어휘를 기본으로 습득해야 한다. 그러나 그것만으로는 절대 합격을 위한 고득점을 할 수 없다. 반드시 수능 어휘보다 수준이 높은 공무원 기출 어휘를 학습해야 한다. 어휘 학습에는 왕도가 없다. 절대 포기하지 말고 반드시 3번 이상 반복해서 암기하는 것을 목표로 해야 한다. 매일 빠짐없이 어휘를 학습하고 가능한 빠른 시간 내에 3회 반복을 마쳐야 한다.

[독해]

최고의 독해법 `정답률은 높이고 속도는 빠르게 → 독해법만이 속독을 가능케 한다`

무턱대고 지문을 다 읽고 적당한 답을 고르는 방식은 시간은 시간대로 들고 정답의 정확성도 낮다. 지문의 모든 문장의 내용을 알아야 하는가? 아니다. 문제 유형별로 문제가 원하는 정답에 대한 근거는 지문의 일부에 이미 있다. 정답에 대한 근거 부분은 꼼꼼히 읽고 나머지 부분은 빠르게 읽는 문제풀이법만이 결국 시간 싸움인 공무원 영어 독해 문제를 해결하는 유일한 방법이다.

STRUCTURE 구성과 특징

PART 1 | 문법과 구문

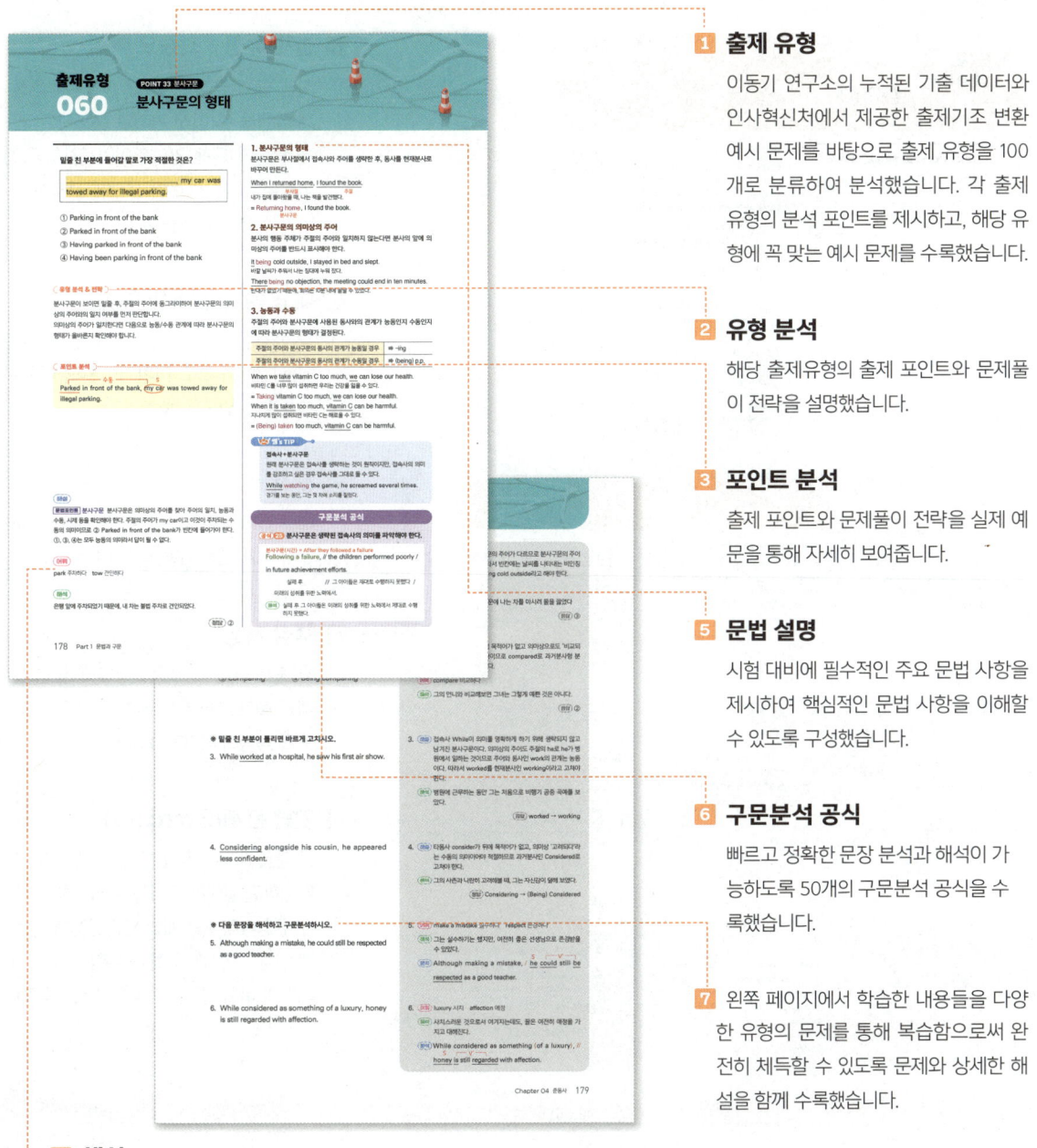

1 출제 유형

이동기 연구소의 누적된 기출 데이터와 인사혁신처에서 제공한 출제기조 변환 예시 문제를 바탕으로 출제 유형을 100개로 분류하여 분석했습니다. 각 출제 유형의 분석 포인트를 제시하고, 해당 유형에 꼭 맞는 예시 문제를 수록했습니다.

2 유형 분석

해당 출제유형의 출제 포인트와 문제풀이 전략을 설명했습니다.

3 포인트 분석

출제 포인트와 문제풀이 전략을 실제 예문을 통해 자세히 보여줍니다.

5 문법 설명

시험 대비에 필수적인 주요 문법 사항을 제시하여 핵심적인 문법 사항을 이해할 수 있도록 구성했습니다.

6 구문분석 공식

빠르고 정확한 문장 분석과 해석이 가능하도록 50개의 구문분석 공식을 수록했습니다.

7 왼쪽 페이지에서 학습한 내용들을 다양한 유형의 문제를 통해 복습함으로써 완전히 체득할 수 있도록 문제와 상세한 해설을 함께 수록했습니다.

4 해설

각 선지별 문법포인트와 일목요연한 설명으로 정답과 오답을 구분해 낼 수 있는 능력을 키울 수 있습니다.

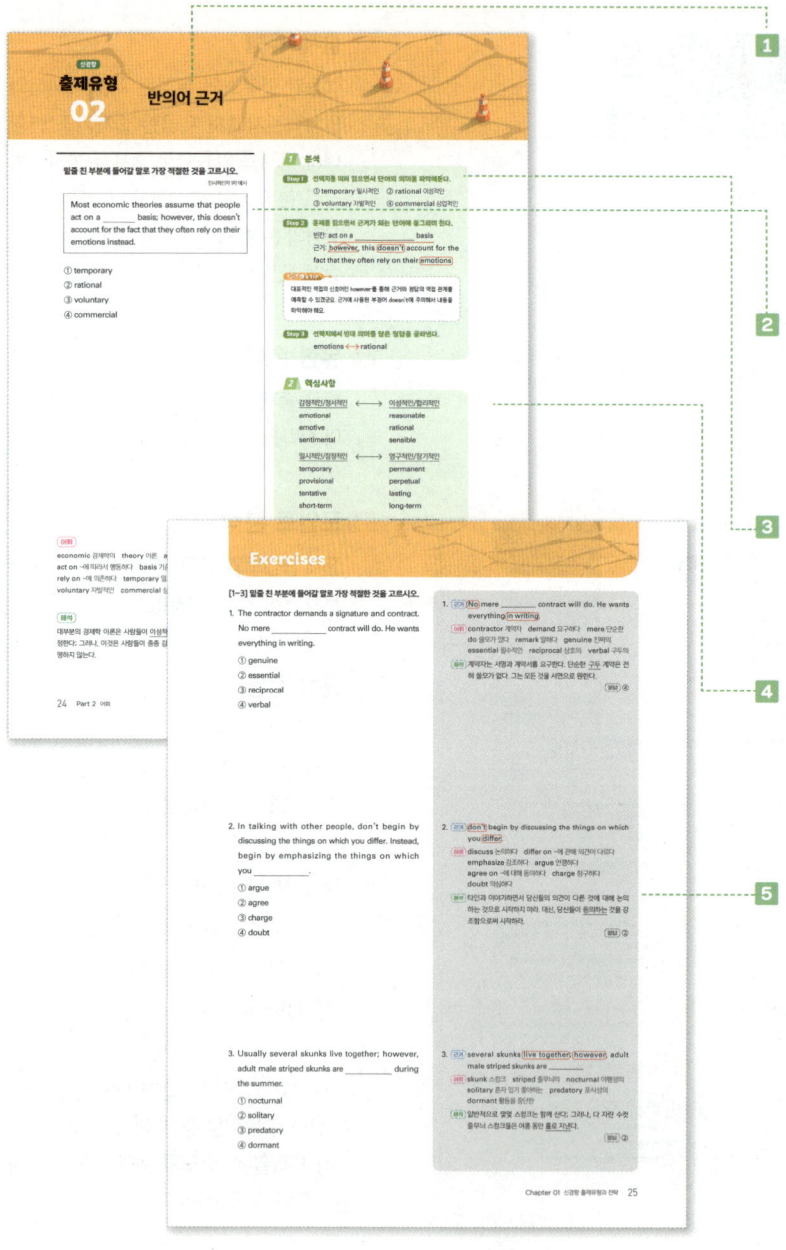

1 출제 유형 / 최중요 어휘
최신 출제 경향에 맞춰 어휘 문제의 출제 유형을 총 다섯 가지로 분류하고, 문제를 풀기 위해 알아두어야 할 최중요 어휘를 제시함으로써 실전에 철저히 대비할 수 있도록 했습니다.

2 대표 예시 문제 및 해설
각 출제 유형 및 최중요 어휘에 꼭 들어맞는 문제를 풀고 어휘 및 해석을 통해 복습할 수 있도록 했습니다.

3 분석
해당 출제 유형의 출제 포인트를 쉽게 파악할 수 있도록 설명했습니다.

4 핵심 사항
각 출제 유형 및 최중요 어휘의 맞춤 문제를 풀기 위해 알아두어야 할 필수 내용을 꼼꼼히 정리했습니다.

5 연습 문제(Exercises)
총 다섯 개의 신경향 출제 유형을 철저히 이해하고 제대로 준비할 수 있도록 각 출제 유형마다 총 3개의 연습문제를 안배했습니다. 학습자의 출제 유형에 대한 이해도와 어휘 실력을 점검할 수 있습니다.

STRUCTURE 구성과 특징

PART 3 | 생활영어

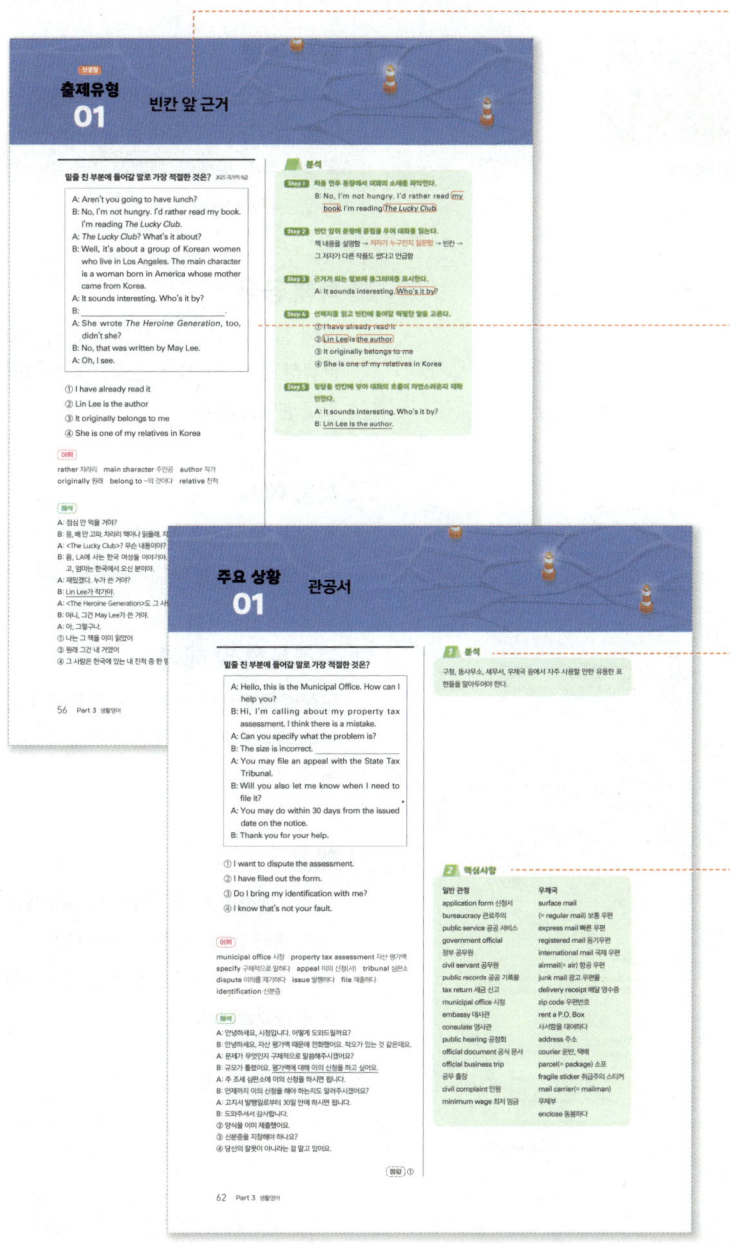

1 출제 유형 / 상황별 대화
그동안의 수많은 기출 유형을 분석하고 새로운 출제 경향을 예측하여 총 네 개의 출제 유형으로 나누고 생활영어 시험에 자주 등장할 수 있는 여러 가지 상황을 제시했습니다.

2 문제 및 해설
각 출제 유형 및 상황별 대화에 꼭 들어맞는 문제를 풀고 어휘 및 해석을 통해 복습할 수 있도록 했습니다.

3 분석
해당 출제 유형의 출제 포인트를 쉽게 파악할 수 있도록 설명했습니다.

4 핵심 사항
각 출제 유형 및 상황별 대화의 맞춤 문제를 풀기 위해 알아두어야 할 필수 내용을 꼼꼼히 정리했습니다.

PART 4 | 독해

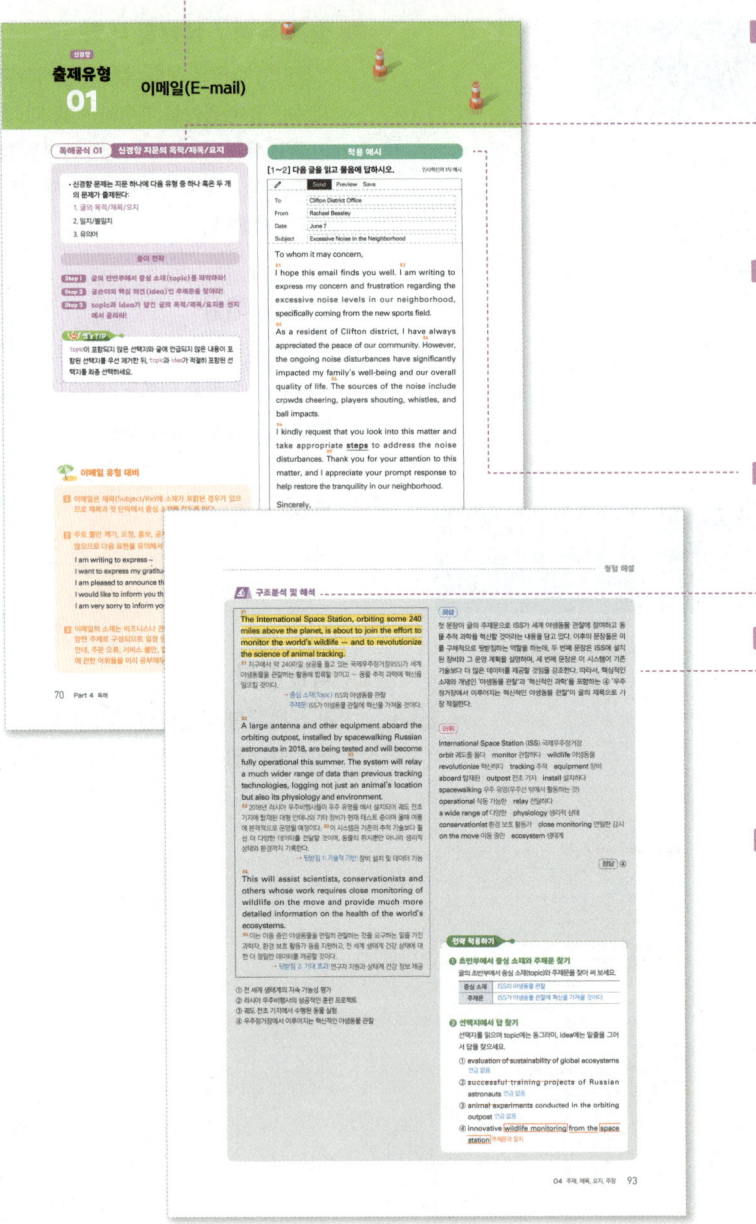

1 출제 유형

독해의 출제 유형을 총 8가지로 분류한 다음, 각 유형에 해당하는 공식(들)을 제공함으로써 독해를 체계적으로 준비할 수 있도록 했습니다.

2 독해 공식

독해 출제 패턴을 총 15개의 공식으로 분류하고 공식에 맞는 전략들을 분석적으로 설명했습니다.

3 적용 예시

각 공식을 실전에 적용할 수 있도록 공식별 맞춤 예시 문제를 제시했습니다.

4 구조분석 및 해석

문장별로 번호를 붙여 각 문장의 구조분석과 해석을 제공하여 연계 학습이 되도록 구성했습니다.

5 해설

지문을 이해하는 데 필요한 어휘를 제공하고 해당 문제를 완전히 이해한 뒤 비슷한 유형에 대비할 수 있도록 상세 해설을 수록했습니다.

STRUCTURE 구성과 특징

PART 4 | 독해

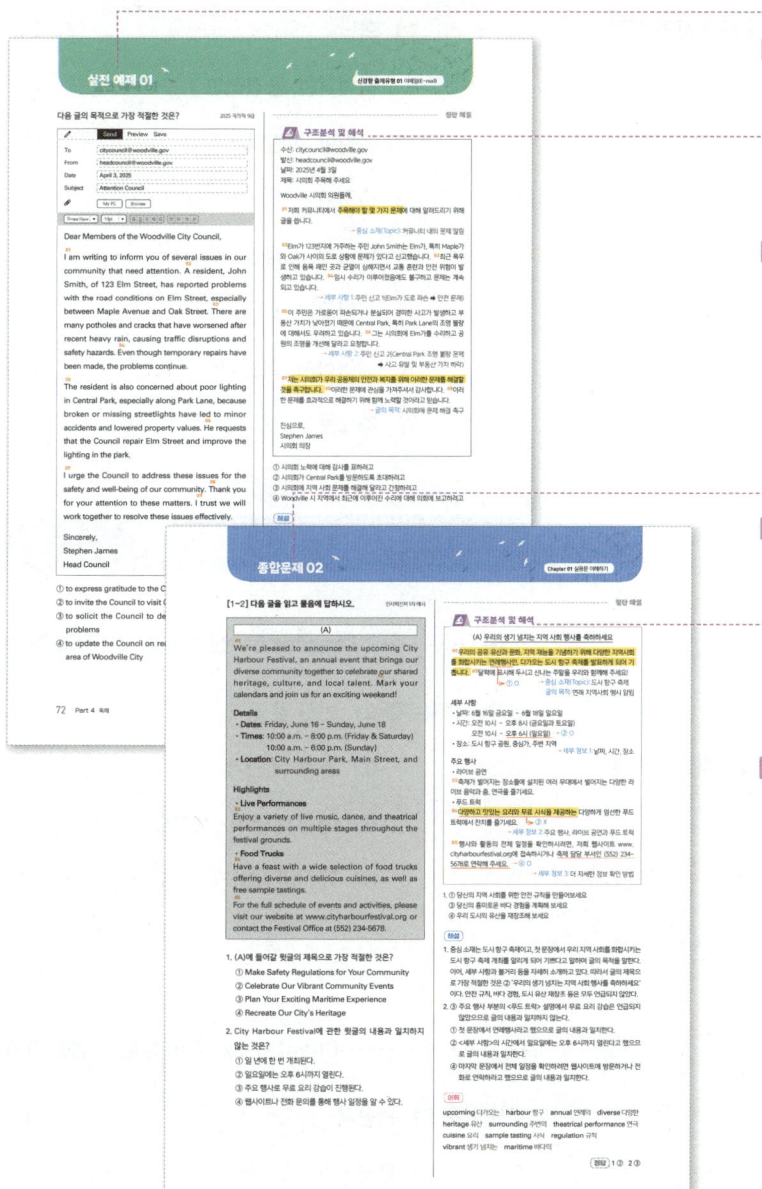

1 실전 예제

독해를 8개의 출제 유형과 15개의 독해 공식으로 분류한 뒤, 그에 맞게 각 2개의 실전 예제를 제시했습니다.

2 구조분석 및 해석 / 해설

각 지문의 문장별로 번호를 붙인 뒤, 구조분석과 해석을 제공하여 연계 학습이 되도록 구성했습니다. 또한 학습과 복습에 도움이 되도록 어휘와 상세 해설을 제공했습니다.

3 종합 문제

독해 파트를 총 3개의 Chapter, 즉 실용문 이해하기, 글의 주제 파악하기, 글의 흐름 파악하기로 구분한 뒤, Chapter별로 4개의 종합 문제를 제공했습니다.

4 구조분석 및 해석 / 해설

각 지문의 문장별로 번호를 붙인 뒤, 구조분석과 해석을 제공하여 연계 학습이 되도록 구성했습니다. 또한 학습과 복습에 도움이 되도록 어휘와 상세 해설을 제공했습니다.

CONTENTS
목차

PART 2 | 어휘

---------- **Chapter 01 신경향 출제유형과 전략**

신경향 출제유형 01 유의어 근거 — 022
  Exercises — 023
02 반의어 근거 — 024
  Exercises — 025
03 문맥상 근거 — 026
  Exercises — 027
04 정의 근거 — 028
  Exercises — 029
05 예시 근거 — 030
  Exercises — 031

---------- **Chapter 02 최중요 어휘**

최중요 어휘 01 완화시키다, 악화시키다 — 034
02 급증하다, 급감하다 — 035
03 자극하다, 일으키다 — 036
04 버리다, 그만두다 — 037
05 중요한, 필수적인 — 038
06 만연하는, 일반적인 — 039
07 영구적인, 일시적인 — 040
08 현저한, 눈에 띄는 — 041
09 회복력 있는, 탄력 있는 — 042
10 화난 — 043
11 적대적인, 공격적인 — 044
12 은밀한, 비밀의 — 045
13 솔직한 — 046
14 대담한, 소심한 — 047
15 호화로운 — 048
16 활동하지 않는, 기력이 없는 — 049
17 해로운 — 050

PART 3 | 생활영어

---------- **Chapter 01 신경향 출제유형과 전략**

신경향 출제유형 01 빈칸 앞 근거 — 056
02 빈칸 뒤 근거 — 057
03 메신저 대화 - 빈칸 앞 근거 — 058
04 메신저 대화 - 빈칸 뒤 근거 — 059

---------- **Chapter 02 주요 상황별 생활영어**

주요 상황 01 관공서 — 062
02 관광 - 여행 및 숙박, 식당 — 063
03 공항 및 도로 교통 — 064
04 공공장소 - 은행, 병원, 도서관 — 065

PART 4 | 독해

Chapter 01 실용문 이해하기

신경향 출제유형 01 이메일(E-mail)
　　독해공식 01 신경향 지문의 목적/제목/요지 ———— 070
　　실전 예제 ———— 072

신경향 출제유형 02 공지/안내문(Announcement)
　　독해공식 02 신경향 지문의 일치/불일치 ———— 074
　　실전 예제 ———— 076

신경향 출제유형 03 인터넷 정보글(Web Document)
　　독해공식 03 신경향 지문의 유의어 ———— 078
　　실전 예제 ———— 080

종합문제 ———— 086

Chapter 02 글의 주제 파악하기

출제유형 04 주제, 제목, 요지, 주장 - 두괄식
　　독해공식 04 두괄식 ———— 092
　　실전 예제 ———— 094

04 주제, 제목, 요지, 주장 - 비판/반박
　　독해공식 05 비판/반박 ———— 096
　　실전 예제 ———— 098

04 주제, 제목, 요지, 주장 - 미괄식
　　독해공식 06 미괄식 ———— 100
　　실전 예제 ———— 102

04 주제, 제목, 요지, 주장 - 단락 종합
　　독해공식 07 단락 종합 ———— 104
　　실전 예제 ———— 106

04 주제, 제목, 요지, 주장 - 주제문 없음
　　독해공식 08 주제문 없음 ———— 108
　　실전 예제 ———— 110

출제유형 05 빈칸 완성 - 전반부 빈칸
　　독해공식 09 전반부 빈칸 ———— 112
　　실전 예제 ———— 114

05 빈칸 완성 - 중간 빈칸
　　독해공식 10 중간 빈칸 ———— 116
　　실전 예제 ———— 118

05 빈칸 완성 - 후반부 빈칸
　　독해공식 11 후반부 빈칸 ———— 120
　　실전 예제 ———— 122

05 빈칸 완성 - 연결어 넣기
　　독해공식 12 연결어 넣기 ———— 124
　　실전 예제 ———— 126

출제유형 06 문장 제거
　　독해공식 13 문장 제거 ———— 128
　　실전 예제 ———— 130

종합문제 ———— 132

Chapter 03 글의 흐름 파악하기

출제유형 07 순서 배열
　　독해공식 14 순서 배열 ———— 138
　　실전 예제 ———— 140

출제유형 08 문장 삽입
　　독해공식 15 문장 삽입 ———— 142
　　실전 예제 ———— 144

종합문제 ———— 146

공무원 영어의 시작과 끝
2026 이동기 영어

Sail with the breeze,
English with ease.

PART 2
어휘

Chapter 01 신경향 출제유형과 전략

Chapter 02 최중요 어휘

Chapter 01
신경향 출제유형과 전략

신경향 출제유형 01	유의어 근거
신경향 출제유형 02	반의어 근거
신경향 출제유형 03	문맥상 근거
신경향 출제유형 04	정의 근거
신경향 출제유형 05	예시 근거

출제유형 01 유의어 근거

밑줄 친 부분에 들어갈 말로 가장 적절한 것을 고르시오.

인사혁신처 1차 예시

> Recently, increasingly _____ weather patterns, often referred to as "abnormal climate," have been observed around the world.

① irregular
② consistent
③ predictable
④ ineffective

1 분석

Step 1 선택지를 미리 읽으면서 단어의 의미를 파악해둔다.
① irregular 불규칙한 ⎱ 반의어 관계
② consistent 일관된 ⎰
③ predictable 예측 가능한
④ ineffective 효과적이지 못한

쌤's TIP
선택지 중 반의어 관계가 있군요. 유력한 정답의 후보이니 주목하세요. 또 한 가지! 선택지 단어가 '규칙성'과 관련된 의미이니 지문 중 이와 관련된 근거를 찾으면 쉽게 해결되겠죠?

Step 2 문제를 읽으면서 근거가 되는 단어에 동그라미 친다.
빈칸: _____ weather patterns
근거: referred to as "abnormal climate"

쌤's TIP
빈칸 뒤의 weather(날씨)와 문장 중의 climate(기후)는 의미가 유사하므로 이를 수식하는 형용사인 abnormal과 유사한 의미의 단어를 선택해야겠죠?

Step 3 선택지에서 유사한 의미를 담은 정답을 골라낸다.
abnormal ≒ ① irregular

2 핵심사항

비정상적인/특이한	⟷	정상적인/일반적인
abnormal		normal
extraordinary		ordinary
eccentric		average
bizarre		typical

* irregular 1. 비정상적인 ↔ regular 정상적인
2. 불규칙한, 고르지 않은 ↔ consistent 일관된

어휘

increasingly 점점 더   weather pattern 기상 패턴
refer to A as B A를 B로 언급하다   abnormal 비정상적인, 불규칙한
observed 관찰하다   irregular 비정상적인, 불규칙한
consistent 일관된   predictable 예측 가능한
ineffective 효과적이지 못한

해석

최근에, 종종 '비정상적인 기후'로 언급되는 점점 더 비정상적인 기상 패턴들이 전 세계에서 관측되어왔다.

정답 ①

Exercises

[1~3] 밑줄 친 부분에 들어갈 말로 가장 적절한 것을 고르시오.

1. A mouse potato is the computer _____ of television's couch potato: someone spending a lot of time at the computer in much the same way the couch potato does in front of the TV.

    ① technician
    ② equivalent
    ③ network
    ④ simulation

근거	someone spending a lot of time at the computer in much the same way the couch potato does in front of the TV
어휘	mouse potato 마우스 포테이토: 컴퓨터 앞에서 시간을 많이 보내는 사람 couch potato 카우치 포테이토: 오랫동안 소파에 앉아 TV만 보는 사람 technician 기술자 equivalent 동일한 것[사람] network 망 simulation 흉내 내기
해석	마우스 포테이토는 텔레비전의 카우치 포테이토와 컴퓨터 (분야의) 동의어이다: 카우치 포테이토가 TV 앞에서 하는 것과 대체로 똑같이 컴퓨터에서 많은 시간을 보내는 사람.

    정답 ②

2. You'll eat a sensible amount of food and take in a moderate dose of calories if you eat at a proper rate, so _____ yourself at holiday meals.

    ① hide
    ② express
    ③ pace
    ④ betray

근거	if you eat at a proper rate
어휘	sensible 합리적인 take in ~을 섭취하다 moderate 적절한 dose 분량 rate 속도 hide 숨기다 express 표현하다 pace oneself 자기에게 맞는 (적절한) 속도를 지키다 betray 배신하다
해석	적절한 속도로 먹는다면 합리적인 양의 음식을 먹고 적절한 분량의 칼로리를 섭취할 것이므로, 명절 음식을 먹을 때 적절한 속도를 지켜라.

    정답 ③

3. He made it easier for an individual to get a visa by _____ the entire visa process from appointment scheduling, actual processing, to issuance.

    ① appreciating
    ② aggravating
    ③ meditating
    ④ facilitating

근거	He made it easier for an individual to get a visa
어휘	individual 개인 entire 전체의 appointment 예약 issuance 발행 appreciate 인정하다 aggravate 악화시키다 meditate 명상하다 facilitate 용이하게 하다
해석	그는 약속 일정 정하기부터, 실제 처리 작업과 발행에 이르기까지 비자 절차 전체를 용이하게 함으로써 개인이 비자 받는 것을 더 쉽게 만들었다.

    정답 ④

출제유형 02 반의어 근거

밑줄 친 부분에 들어갈 말로 가장 적절한 것을 고르시오.

인사혁신처 1차 예시

> Most economic theories assume that people act on a _____ basis; however, this doesn't account for the fact that they often rely on their emotions instead.

① temporary
② rational
③ voluntary
④ commercial

1 분석

Step 1 선택지를 미리 읽으면서 단어의 의미를 파악해둔다.
① temporary 일시적인   ② rational 이성적인
③ voluntary 자발적인   ④ commercial 상업적인

Step 2 문제를 읽으면서 근거가 되는 단어에 동그라미 친다.
빈칸: act on a _____ basis
근거: however, this doesn't account for the fact that they often rely on their emotions

쌤's TIP
대표적인 역접의 신호어인 however를 통해 근거와 정답의 역접 관계를 예측할 수 있겠군요. 근거에 사용된 부정어 doesn't에 주의해서 내용을 파악해야 해요.

Step 3 선택지에서 반대 의미를 담은 정답을 골라낸다.
emotions ⟷ rational

2 핵심사항

감정적인/정서적인 ⟷ 이성적인/합리적인
emotional — reasonable
emotive — rational
sentimental — sensible

일시적인/잠정적인 ⟷ 영구적인/장기적인
temporary — permanent
provisional — perpetual
tentative — lasting
short-term — long-term

자발적인/선택적인 ⟷ 강압적인/강제적인
voluntary — compulsory
optional — obligatory

주행성의 ⟷ 야행성의
diurnal — nocturnal

혼자 있기 좋아하는 ⟷ 군집성의/사교적인
solitary — gregarious
— sociable

동일한/같은 ⟷ 다른/이질적인
same — different
equal — disparate
equivalent —

어휘
economic 경제학의   theory 이론   assume 가정하다
act on ~에 따라서 행동하다   basis 기준   account for ~을 설명하다
rely on ~에 의존하다   temporary 일시적인   rational 이성적인
voluntary 자발적인   commercial 상업적인

해석
대부분의 경제학 이론은 사람들이 이성적인 기준에 따라서 행동한다고 가정한다; 그러나, 이것은 사람들이 종종 감정에 대신 의존한다는 사실을 설명하지 않는다.

정답 ②

Exercises

[1~3] 밑줄 친 부분에 들어갈 말로 가장 적절한 것을 고르시오.

1. The contractor demands a signature and contract. No mere _____ contract will do. He wants everything in writing.

   ① genuine
   ② essential
   ③ reciprocal
   ④ verbal

2. In talking with other people, don't begin by discussing the things on which you differ. Instead, begin by emphasizing the things on which you _____.

   ① argue
   ② agree
   ③ charge
   ④ doubt

3. Usually several skunks live together; however, adult male striped skunks are _____ during the summer.

   ① nocturnal
   ② solitary
   ③ predatory
   ④ dormant

---

1. 근거 No mere _____ contract will do. He wants everything in writing.
   어휘 contractor 계약자 demand 요구하다 mere 단순한 do 쓸모가 있다 remark 말하다 genuine 진짜의 essential 필수적인 reciprocal 상호의 verbal 구두의
   해석 계약자는 서명과 계약서를 요구한다. 단순한 구두 계약은 전혀 쓸모가 없다. 그는 모든 것을 서면으로 원한다.
   정답 ④

2. 근거 don't begin by discussing the things on which you differ.
   어휘 discuss 논의하다 differ on ~에 관해 의견이 다르다 emphasize 강조하다 argue 언쟁하다 agree on ~에 대해 동의하다 charge 청구하다 doubt 의심하다
   해석 타인과 이야기하면서 당신들의 의견이 다른 것에 대해 논의하는 것으로 시작하지 마라. 대신, 당신들이 동의하는 것을 강조함으로써 시작하라.
   정답 ②

3. 근거 several skunks live together; however, adult male striped skunks are _____.
   어휘 skunk 스컹크 striped 줄무늬의 nocturnal 야행성의 solitary 혼자 있기 좋아하는 predatory 포식성의 dormant 활동을 중단한
   해석 일반적으로 몇몇 스컹크는 함께 산다; 그러나, 다 자란 수컷 줄무늬 스컹크들은 여름 동안 홀로 지낸다.
   정답 ②

출제유형 03 — 문맥상 근거 (신경향)

밑줄 친 부분에 들어갈 말로 가장 적절한 것은? 2025 국가직 9급

We are polluting the oceans, killing the fish and thereby _____ ourselves of invaluable food supply.

① depriving
② informing
③ accusing
④ curing

어휘
pollute 오염시키다 invaluable 귀중한 supply 공급원
deprive 빼앗다 inform 알리다 accuse 비난하다 cure 치유하다

해석
우리는 바다를 오염시키고 물고기를 죽이고, 그럼으로써 우리 자신에게서 귀중한 식량 공급원을 빼앗고 있다.

정답 ①

1 분석

Step 1 선택지를 미리 읽으면서 단어의 의미를 파악해둔다.
① depriving 빼앗는
② informing 알리는
③ accusing 비난하는
④ curing 치유하는

Step 2 문제를 읽으면서 근거가 되는 단어에 동그라미 친다.
빈칸: _____ ourselves of invaluable food supply
근거: polluting the oceans, killing the fish and thereby

쌤's TIP
빈칸 바로 앞에 부사 thereby가 있으므로 and 앞의 내용들이 원인이고 빈칸에는 그 결과가 들어가야 해요. 바다를 오염시키고 물고기를 죽이면 식량 공급원을 '빼앗는' 결과가 생길 테니 답을 쉽게 고를 수 있어요.

Step 3 선택지에서 문맥적으로 들어갈 정답을 골라낸다.
① depriving

2 핵심사항

관련된	↔	관련없는
related		unrelated
interrelated		independent
associated		separate
relevant		irrelevant

분명한	↔	모호한
clear		unclear
distinct		indistinct
definite		indefinite
obvious		ambiguous
explicit		vague
apparent		equivocal
evident		obscure
		nebulous

Exercises

[1~3] 밑줄 친 부분에 들어갈 말로 가장 적절한 것을 고르시오.

1. In order to exhibit a large mural, the museum curators had to make sure they had _____ space.

   인사혁신처 2차 예시

   ① cozy
   ② stuffy
   ③ ample
   ④ cramped

---

1. 근거 In order to exhibit a large mural
   어휘 mural 벽화 curator 큐레이터 cozy 아늑한
   stuffy 답답한 ample 충분한 cramped 비좁은
   해석 커다란 벽화를 전시하기 위해 박물관 큐레이터들은 충분한 공간을 반드시 확보하도록 해야 했다.
   정답 ③

---

2. Obviously, no aspect of the language arts stands alone either in learning or in teaching. Listening, speaking, reading, writing, viewing, and visually representing are _____.

   ① distinct
   ② distorted
   ③ interrelated
   ④ independent

---

2. 근거 no aspect of the language arts stands alone
   어휘 obviously 확실히 aspect 측면
   language arts 언어 과목
   stand alone 독립적으로 존재하다 view 시청하다
   visually 시각적으로 represent 표현하다
   distinct 분명한 distorted 왜곡된
   interrelated 연관된 independent 독립적인
   해석 확실히, 언어 과목의 어떤 측면도 학습이나 교육에서 독립적으로 존재하지 않는다. 듣기, 말하기, 읽기, 쓰기, 시청, 시각적 표현은 연관되어 있다.
   정답 ③

---

3. The two cultures were so utterly _____ that she found it hard to adapt from one to the other.

   ① overlapped
   ② equivalent
   ③ associative
   ④ disparate

---

3. 근거 she found it hard to adapt from one to the other
   어휘 utterly 완전히 adapt 적응하다 overlap 겹치다
   equivalent 동등한 associative 연합의
   disparate 이질적인
   해석 그 두 문화는 완전히 이질적이라서 그녀는 한쪽(문화)에서 다른 한쪽(문화)으로 적응하기 어려워했다.
   정답 ④

Chapter 01 신경향 출제유형과 전략

출제유형 04 — 정의 근거 (신경향)

밑줄 친 부분에 들어갈 말로 가장 적절한 것을 고르시오.

> If you are someone who is _____, this means you tend to keep your feelings hidden and do not like to show what you really think.

① reserved
② outgoing
③ knowledgeable
④ confident

1 분석

Step 1 선택지를 미리 읽으면서 단어의 의미를 파악해둔다.
① reserved 내성적인 ⟷ 반의어 관계
② outgoing 외향적인
③ knowledgeable 많이 아는
④ confident 자신감 있는

> **쌤's TIP**
> 선택지 중 반의어 관계가 있군요. 유력한 정답의 후보이니 주목하세요. 또 한 가지! 선택지 단어가 '내향성' 또는 '외향성'과 관련된 의미이니 지문 중 이와 관련된 근거를 찾으면 쉽게 해결되겠죠?

Step 2 문제를 읽으면서 근거가 되는 단어에 동그라미 친다.
빈칸: someone who is _____,
근거: this means you tend to keep your feelings hidden and do not like to show what you really think

> **쌤's TIP**
> 빈칸 뒤의 this means로 보아 어떤 단어에 대한 정의나 부연이 이어질 것을 예측할 수 있어요. 자기감정을 감추고 드러내지 않는 성향은 '내성적인' 이라는 의미가 가장 적절하겠군요.

Step 3 선택지에서 정의나 덧붙인 설명에 부합하는 정답을 골라낸다.
keep your feeling hidden, do not like to show ~ → ① reserved 내성적인

2 핵심사항

내성적인/비사교적인	⟷	외향적인/사교적인
reserved		extroverted
reticent		outgoing
introverted		sociable
withdrawn		

많이 아는/박식한	⟷	무지한/교육받지 않은
knowledgeable		ignorant
informed		uninformed
acquainted		uneducated
sophisticated		unsophisticated

확신하는/자신감 있는	⟷	자신감 없는/소심한
confident		diffident
convinced		uncertain
certain		timid
assured		trepid

어휘
tend to ~하는 경향이 있다 reserved 내성적인 outgoing 외향적인 knowledgeable 많이 아는 confident 자신감 있는

해석
만일 당신이 내성적인 사람이라면, 그것은 당신이 자신의 감정을 숨기는 경향이 있고 당신이 실제로 무슨 생각을 하는지 보여 주고 싶어 하지 않는다는 것을 의미한다.

정답 ①

Exercises

[1~3] 밑줄 친 부분에 들어갈 말로 가장 적절한 것을 고르시오.

1. _____ is using someone else's exact words in your writing, and not naming the original writer or book where you found them.

   ① citation
   ② presentation
   ③ modification
   ④ plagiarism

2. Automatic doors in supermarkets _____ the entry and exit of customers with bags or shopping carts.　　　　　　　　　　　2024 지방직 9급

   ① ignore
   ② forgive
   ③ facilitate
   ④ exaggerate

3. A _____ company is one which accounts for a significant share of a given market and has a much larger market share than its competitors.

   ① minor
   ② dominant
   ③ proficient
   ④ turbulent

---

1. 근거 using someone else's exact words in your writing, and not naming the original writer or book
   어휘 exact 정확한　name 이름을 명시하다
   citation 인용　presentation 발표
   modification 수정　plagiarism 표절
   해석 표절은 다른 사람의 정확한 단어를 당신의 글에 사용하고, 원작자나 당신이 그것들을 찾은 책의 이름을 명시하지 않는 것이다.
   정답 ④

2. 근거 Automatic doors in supermarkets _____ the entry and exit
   어휘 automatic door 자동문　entry and exit 출입
   ignore 무시하다　forgive 용서하다
   facilitate 쉽게 하다　exaggerate 과장하다
   해석 슈퍼마켓에 있는 자동문은 가방이나 쇼핑 카트를 가지고 있는 고객들의 출입을 쉽게 한다.
   정답 ③

3. 근거 accounts for a significant share of a given market and has a much larger market share than its competitors
   어휘 account for (부분·비율을) 차지하다
   significant 상당한　share 점유율　competitor 경쟁사
   minor 중요하지 않은　dominant 지배적인
   proficient 능숙한　turbulent 격동의
   해석 지배적인 회사는 특정한 시장의 상당한 부분을 차지하고 경쟁사들보다 훨씬 더 큰 시장 점유율을 가지는 회사이다.
   정답 ②

출제유형 05 예시 근거

밑줄 친 부분에 들어갈 말로 가장 적절한 것은? 2025 국가직 9급

All international travelers must carry acceptable _____ when entering Canada. For example, a passport is the only reliable and universally accepted document when traveling abroad.

① currency
② identification
③ insurance
④ luggage

1 분석

Step 1 선택지를 미리 읽으면서 단어의 의미를 파악해둔다.
① currency 통화
② identification 신분증
③ insurance 보험
④ luggage 수화물

쌤's TIP
선택지 단어들은 모두 여행과 관련이 있는 의미이니 지문 중 선택지의 특정 단어와 관련된 근거를 찾아보도록 해요.

Step 2 문제를 읽으면서 근거가 되는 단어에 동그라미 친다.
빈칸: carry acceptable _____
근거: For example, a passport is the only reliable and universally accepted document

쌤's TIP
대표적인 예시의 신호어인 For example을 통해 근거가 정답의 예시라는 관계를 예측할 수 있겠군요.

Step 3 선택지에서 예시를 통칭하는 단어를 골라낸다.
a passport ⊂ ② identification

어휘
carry 지참하다 acceptable 허용되는 reliable 신뢰할 수 있는
universally 보편적으로 accepted (일반에게) 인정된
currency 통화 identification 신분증 insurance 보험
luggage 수화물

해석
모든 해외 여행객은 캐나다에 입국할 때 허용되는 신분증을 지참해야 한다. 예를 들어, 여권은 해외여행 시 신뢰할 수 있고 보편적으로 인정되는 유일한 서류이다.

정답 ②

2 핵심사항

방해하다/저지하다	증진하다/신장시키다
hinder	promote
hamper	boost
obstruct	enhance
deter	support
impede	encourage
block	

Exercises

[1~3] 밑줄 친 부분에 들어갈 말로 가장 적절한 것을 고르시오.

1. In many markets, firms offer products that are not merely different but that directly _____ each other. Some firms sell cigarettes; others sell products that help you quit smoking.

   ① approve
   ② advertise
   ③ resemble
   ④ oppose

2. The COVID-19 _____ the growth of a nation and society at large: it disrupted the education of children, set back the entire economy of the world, and diluted cultural exchanges among countries.

   ① hindered
   ② approved
   ③ resembled
   ④ promoted

3. Moths and butterflies look somewhat similar, but there are _____ behavior patterns between the two. Moths are active at night while butterflies are active during the day.

   ① contrasting
   ② rational
   ③ eternal
   ④ balanced

---

1. **근거** Some firms sell cigarettes, others sell products that help you quit smoking.
   어휘 firm 기업 approve 승인하다 advertise 광고하다 resemble 닮다 oppose 반대하다
   해석 많은 시장에서, 기업들은 단순히 다를 뿐 아니라 순전히 서로 반대되는 제품을 제공한다. 어떤 기업들은 담배를 판매한다; 다른 기업들은 금연을 돕는 제품을 판매한다.
   정답 ④

2. **근거** it disrupted the education of children, set back the entire economy of the world, and diluted cultural exchanges among countries
   어휘 at large 전반적으로 disrupt 방해하다 set back 지연시키다 dilute 약화시키다 hinder 방해하다 approve 승인하다 resemble 닮다 promote 증진하다
   해석 코로나 19는 국가와 사회의 성장을 전반적으로 방해했다: 그것은 아이들의 교육을 방해했고, 세계의 경제 전체를 지연시켰으며, 국가 간의 문화 교류를 약화시켰다.
   정답 ①

3. **근거** Moths are active at night while butterflies are active during the day.
   어휘 moth 나방 similar 비슷한 contrasting 대조적인 rational 합리적인 eternal 영원한 balanced 균형 잡힌
   해석 나방과 나비는 다소 비슷하게 보이지만, 둘 사이에는 대조적인 행동 패턴이 있다. 나비는 낮 동안에 활동적이지만 나방은 밤에 활동적이다.
   정답 ①

Chapter 02
최중요 어휘

최중요 어휘 01	완화시키다, 악화시키다
최중요 어휘 02	급증하다, 급감하다
최중요 어휘 03	자극하다, 일으키다
최중요 어휘 04	버리다, 그만두다
최중요 어휘 05	중요한, 필수적인
최중요 어휘 06	만연하는, 일반적인
최중요 어휘 07	영구적인, 일시적인
최중요 어휘 08	현저한, 눈에 띄는
최중요 어휘 09	회복력 있는, 탄력 있는
최중요 어휘 10	화난
최중요 어휘 11	적대적인, 공격적인
최중요 어휘 12	은밀한, 비밀의
최중요 어휘 13	솔직한
최중요 어휘 14	대담한, 소심한
최중요 어휘 15	호화로운
최중요 어휘 16	활동하지 않는, 기력이 없는
최중요 어휘 17	해로운

최중요 어휘 01 — 완화시키다, 악화시키다

밑줄 친 부분에 들어갈 말로 가장 적절한 것을 고르시오.

> A smart writer is able to use effective strategies so that he can _____ the difficulty during the writing process.

① complement
② accelerate
③ calculate
④ alleviate

1 분석

'완화시키다'와 반의어인 '악화시키다'는 10년간 무려 13회나 출제되어 그만큼 중요한 어휘라 할 수 있다.

→ 빈칸 완성 문제의 경우, 선택지에 반의어 관계의 단어 중 하나가 정답이 되는 경우도 많으므로 반드시 함께 알아두는 것이 중요하다.

→ alleviate와 동의어인 mitigate의 경우, 명사인 mitigation이 출제된 적이 있으므로 최중요 어휘의 경우, 다른 품사까지 알아두는 것이 좋다.

2 핵심사항

완화시키다 ⟷	악화시키다
alleviate	aggravate
appease	exacerbate
assuage	make worse
relieve	worsen
relax	
mitigate	
mollify	
pacify	
palliate	
placate	
soothe	

나아지다 ⟷	나빠지다
ameliorate	decline
improve	deteriorate
	degenerate

n 완화, 경감
mitigation, relief

어휘

effective 효과적인   strategy 전략   complement 보완하다
accelerate 가속화하다   calculate 계산하다   alleviate 완화시키다

해석

영리한 작가는 글쓰기 과정의 어려움을 완화시킬 수 있도록 효과적인 전략을 이용할 수 있다.

정답 ④

최중요 어휘 02 — 급증하다, 급감하다

밑줄 친 부분에 들어갈 말로 가장 적절한 것을 고르시오.

> American chestnut, once a dominant tree over much of eastern North America, _____ to extinction.

① surged
② plunged
③ provoked
④ proliferate

1 분석

'급증하다'와 반의어인 '급감하다'는 10년간 8회 출제될 정도로 중요한 어휘이다.

→ 동사형과 함께 명사형도 출제된 적이 있기 때문에 함께 알아둬야 한다.

→ '급감하다, 감소하다'는 독해 영역에서 사회나 문화를 소재로 다루는 지문에 특히 자주 등장하는 어휘이다.

2 핵심사항

급증하다/급등하다	⟷	급감하다/급락하다
proliferate		plummet
soar		plunge
surge		drop
skyrocket		decline
multiply		diminish
escalate		nosedive
expand		take a nosedive
increase		
hit the ceiling/roof		
go through the roof		

n 급증, 팽창
proliferation, expansion

어휘
chestnut 밤나무 dominant 지배적인 extinction 멸종
surge 급등하다 plunge 급감하다 provoke 화나게 하다
proliferate 급증하다

해석
한때 대부분의 동북 아메리카 대륙의 지배적인 나무였던 미국 밤나무가 멸종할 정도로 급감했다.

정답 ②

최중요 어휘 03 자극하다, 일으키다

밑줄 친 부분에 들어갈 말로 가장 적절한 것을 고르시오.

> The Diderot Effect states that obtaining a new possession _____ a cycle of consumption that leads to more purchases as each action becomes a cue for the next.

① triggers
② interrupts
③ relieves
④ justifies

1 분석

'자극하다, 일으키다'는 7회 출제되었다.

→ '완화시키다' 어휘와 함께 선택지로 4회 출제되었기 때문에 '완화시키다'와 구분하여 알아두는 것이 매우 중요하다.

→ 또한 '자극하다, 일으키다'의 동사구 표현도 2회 출제되었기 때문에 알아둬야 한다.

2 핵심사항

중요 동사

자극하다/일으키다

cause	provoke	evoke
trigger	promote	elicit
spur	prompt	
stimulate		

중요 동사구

불러일으키다/발생시키다

bring about
give rise to
touch off

[어휘]

state 말하다   obtain 얻다   possession 소유물
consumption 소비   purchase 구매   cue 단서
trigger 촉발시키다   interrupt 방해하다   relieve 완화하다
justify 정당화시키다

[해석]

디드로 효과는 각각의 행동이 다음 행동을 위한 단서가 됨에 따라 새로운 소유물을 얻는 것이 더 많은 구매로 이어지는 소비의 순환을 촉발한다고 말한다.

[정답] ①

최중요 어휘 04 — 버리다, 그만두다

밑줄 친 부분에 들어갈 말로 가장 적절한 것을 고르시오.

> The speaker _____ arrogant phrases and instead used simple and humble language.

① asserted
② imitated
③ abandoned
④ boasted

1 분석

'버리다, 그만두다'는 10년간 8회 출제되었다.

→ abandon은 어휘 문제에서 4회 출제되었으며, 독해에서 역사와 사회, 문화 지문에 4회 출제될 만큼 중요한 어휘이다. 따라서 abandon은 앞으로도 출제될 가능성이 큰 기본 어휘이므로 반드시 알아둬야 한다.

2 핵심사항

버리다/그만두다

abandon	renounce	desert
forsake	relinquish	dump
forgo		discard
give up		

모방하다/흉내 내다

imitate
copy
mimic
emulate

[어휘]
arrogant 거만한 phrase 표현 humble 겸손한 assert 주장하다
imitate 모방하다 abandon 버리다 boast 자랑하다

[해석]
그 화자는 거만한 표현을 버리고 대신 간단하고 겸손한 말을 사용했다.

정답 ③

최중요 어휘 05 중요한, 필수적인

밑줄 친 부분에 들어갈 말로 가장 적절한 것을 고르시오.

> The _____ duty of the physician is to do no harm. Everything else — even healing — must take second place.

① paramount
② oppressive
③ successful
④ mysterious

1 분석

'중요한, 필수적인'은 10년간 5회 출제되었다.

→ 유의어가 많은 어휘이므로 다양한 표현 및 관련 어휘를 고루 익혀두는 것이 좋다.

2 핵심사항

중요한/필수적인

integral	principal	chief	essential
indispensable	paramount	cardinal	key
imperative	prime	crucial	vital
			requisite

cf) 의무적인
 compulsory
 mandatory
 obligatory
 required

어휘

duty 의무 physician 의사 do no harm 해를 입히지 않다
healing 치료 take second place ~ 다음 (순위)이다
paramount 중요한 oppressive 억압하는 successful 성공한
mysterious 기이한

해석

의사의 가장 중요한 의무는 해를 입히지 않는 것이다. 그 밖의 모든 것은 — 심지어 치료조차도 — 다음 순위여야만 한다.

정답 ①

최중요 어휘 06 — 만연하는, 일반적인

밑줄 친 부분에 들어갈 말로 가장 적절한 것을 고르시오.

> The influence of Jazz has been so _____ that most popular music owes its stylistic roots to jazz.

① deceptive
② pervasive
③ persuasive
④ disastrous

1 분석

'만연하는, 일반적인'은 10년간 6회 출제되었다.

→ 이 어휘는 독해에서 역사, 사회와 문화, 그리고 과학을 주제로 다룬 지문에도 자주 사용된다. 따라서 어휘 문제뿐 아니라 독해 문제의 내용을 파악하기 위해 반드시 알아둬야 한다.

2 핵심사항

만연하는/일반적인	⟷	드문
prevalent	ubiquitous	uncommon
pervasive	universal	rare
prevailing	omnipresent	
rampant	widespread	
rife	common	

cf) 우세하다
    prevail

[어휘]
influence 영향력   owe A to B A는 B 덕분이다   stylistic 양식의
root 뿌리   deceptive 기만적인   pervasive 만연하는
persuasive 설득력 있는   disastrous 처참한

[해석]
재즈의 영향력은 너무 만연해서 대부분의 유명한 음악은 그 양식의 뿌리가 재즈 덕분이다.

[정답] ②

최중요 어휘 07
영구적인, 일시적인

밑줄 친 부분에 들어갈 말로 가장 적절한 것을 고르시오.

> The Italian restaurant stayed open without cease because of a _____ supply of visitors from the theme park nearby.

① notable
② constant
③ private
④ temporary

1 분석

'영구적인'과 반의어인 '일시적인'은 10년간 6회 출제되었다.

→ 이 두 어휘 모두 유의어가 많기 때문에 한 번에 묶어서 학습하는 것이 좋다. 예를 들어, '영구적인'은 '모두'를 의미하는 접두사 per-와 '완전히'를 의미하는 접두사 con-을 이용하여 암기할 수 있다.

→ constant, permanent는 부사형 constantly, permanently와 함께 독해에서 자주 등장하기 때문에 반드시 알아둬야 하는 중요한 어휘이다.

2 핵심사항

영구적인/끊임없는	←→	일시적인/덧없는
permanent		momentary
perennial		temporary
perpetual		short-lived
persistent		ephemeral
eternal		evanescent
everlasting		transient
enduring		transitory
ceaseless		tentative
incessant		provisional
unceasing		
continuous		
continual		
constant		

cf) ~을 지속하다
　　persist in
　　continue

어휘
without cease 쉴 새 없이　supply 공급　nearby 근처에
notable 주목할 만한　constant 끊임없이　private 사적인
temporary 일시적인

해석
그 이탈리안 레스토랑은 근처 테마공원에서 끊임없이 방문객들이 온 덕분에 쉴 새 없이 계속 영업했다.

정답 ②

최중요 어휘 08 — 현저한, 눈에 띄는

밑줄 친 부분에 들어갈 말로 가장 적절한 것을 고르시오.

> She finally achieved a _____ improvement in grades through investing a great deal of time and effort in studying day and night.

① slight
② gradual
③ dangerous
④ remarkable

1 분석

'현저한, 눈에 띄는'은 지난 10년간 4회 출제되었다.

→ 다양한 문제로 출제되었기 때문에 형용사형뿐만 아니라 파생어의 형태 역시 함께 알아둬야 한다.

→ 독해의 '과학' 관련 지문에서는 conspicuous가 자주 등장하는 어휘이다.

2 핵심사항

현저한/눈에 띄는	↔	눈에 잘 띄지 않는
conspicuous		inconspicuous
salient		unnoticeable
remarkable		imperceptible
noticeable		negligible
notable		
eminent		
prominent		
outstanding		
striking		

cf) 두드러지다
   stand out
   be impressive

어휘

achieve 성취하다 improvement 향상 invest 투자하다
slight 미미한 gradual 점진적인 dangerous 위험한
remarkable 현저한

해석

그녀는 밤낮으로 학업에 엄청난 시간과 노력을 투자함으로써 현저한 성적 향상을 마침내 성취했다.

정답 ④

최중요 어휘 09
회복력 있는, 탄력 있는

밑줄 친 부분에 들어갈 말로 가장 적절한 것을 고르시오.

> The spider's web is designed to be _____, allowing it to stretch instead of breaking when an insect flies into it.

① stiff
② powerful
③ flexible
④ passionate

어휘

design 설계하다 stretch 늘어나다 instead of ~ 대신에
insect 곤충 stiff 뻣뻣한 powerful 강력한 flexible 탄력 있는
passionate 열정적인

해석

거미줄은 탄력 있게 설계되어 곤충이 그것에 날아들 때 찢어지는 대신 늘어날 수 있다.

정답 ③

1 분석

'회복력 있는, 탄력 있는'은 10년간 6회 출제되었다.

→ 명사형으로도 2번이나 출제된 만큼 '신축성, 유연성'을 의미하는 어휘 역시 함께 정리하여 알아두어야 한다.

→ flexible은 독해의 과학 지문뿐 아니라, 최근 '유연근무제'와 같은 개념이 등장하면서 사회 문화 지문에도 자주 등장하고 있으므로 반드시 알아두어야 한다.

2 핵심사항

회복력 있는/유연한

flexible	elastic	adaptable
pliable	plastic	
pliant	supple	
	resilient	

유순한/순종적인 ⟷ **고집 센**

유순한/순종적인	고집 센
obedient	inflexible
observant	stubborn
compliant	obstinate
amenable	tenacious
	persistent
	headstrong

cf) 신축성/유연
　flexibility
　plasticity
　suppleness

최중요 어휘 10 화난

밑줄 친 부분에 들어갈 말로 가장 적절한 것을 고르시오.

> This novel is about the _____ parents whose unruly teenage boy quits school in spite of his parents' opposition.

① indifferent
② annoyed
③ reputable
④ confident

1 분석

최근 10년간 어휘뿐 아니라 표현 문제에서도 '화'와 관련된 문제가 6회 출제되었다.

2 핵심사항

v 화나게 하다
make ~ angry
enrage
infuriate

v 짜증나게 하다
irritate
annoy
vex

v 몹시 화내다
hit the roof/ceiling
go through the roof

n 분노
anger
resentment

a 무관심한/냉담한
indifferent
disinterested
unconcerned

어휘

unruly 다루기 힘든   quit 그만두다   opposition 반대
indifferent 냉담한   annoyed 화가 난   reputable 평판이 좋은
confident 자신감 있는

해석

이 소설은 자기 부모의 반대에도 불구하고 학교를 그만두는 다루기 힘든 한 십 대 소년의 화가 난 부모에 관한 것이다.

정답 ②

최중요 어휘 11
적대적인, 공격적인

밑줄 친 부분에 들어갈 말로 가장 적절한 것을 고르시오.

> It is unwise to show off one's wealth because it can cause _____ jealousy rather than friendly admiration.

① hostile
② gentle
③ bearable
④ sympathetic

1 분석

'적대적인, 공격적인'은 10년간 3회 출제되었다. 특히, 감정에 관한 표현들은 반의어와 함께 기억해 두는 것이 중요하다.

2 핵심사항

적대적인/공격적인	←→	우호적인/원만한	
hostile		hospitable	welcoming
aggressive		agreeable	cordial
warlike		amiable	genial
antagonistic		affable	meek
inimical			mild
			friendly

적극적인
aggressive
ambitious
assertive
pushy

어휘

show off ~을 과시하다 wealth 재산 jealousy 질투
admiration 감탄 hostile 적대적인 gentle 온화한
bearable 참을 수 있는 sympathetic 동정적인

해석

자신의 재산을 과시하는 것은 우호적인 감탄보다 적대적인 질투를 유발할 수 있기 때문에 현명하지 못하다.

정답 ①

최중요 어휘 12 — 은밀한, 비밀의

밑줄 친 부분에 들어갈 말로 가장 적절한 것을 고르시오.

> The money was so cleverly _____ that we were forced to abandon our search for it.

① ignored
② concealed
③ exposed
④ collapsed

1 분석

'은밀한, 비밀의'는 10년간 5회 출제되었다.

→ 지금까지 출제되었던 어휘는 상당히 난이도가 높았지만, 신경향 출제 기조를 고려할 때, secret, hidden, covert와 같은 쉬운 어휘를 먼저 숙지하는 것이 중요하다.

→ '은밀한, 비밀의'의 파생어로 동사형인 '숨기다'와, 그 반의어인 '밝히다' 역시 자주 출제되고 있으므로 구분하여 함께 암기해야 한다.

2 핵심사항

은밀한/비밀의
hidden
secret
furtive
covert

숨기다 ⟷ 밝히다/드러내다

숨기다	밝히다/드러내다	
conceal	reveal	unveil
hide	divulge	unearth
veil	debunk	expose
cover	disclose	let on

어휘
cleverly 교묘하게   abandon 포기하다   ignored 무시된
concealed 감춰진   exposed 노출된   collapsed 붕괴된

해석
돈이 너무나 교묘하게 감춰져 있었기 때문에 우리는 그것을 찾으려는 우리의 수색을 포기할 수밖에 없었다.

정답 ②

최중요 어휘 13 솔직한

밑줄 친 부분에 들어갈 말로 가장 적절한 것을 고르시오.

> The answers to the questions should be _____; The politician must not hide any information asked for in the hearing room.

① fake
② informal
③ candid
④ exaggerated

1 분석

'솔직한'은 10년간 3회 출제되었다.

→ 활용성 높은 어휘를 사용하는 신경향에 맞게 같은 의미의 단어 중에서도 활용성이 높은 단어들을 먼저 학습하는 것이 바람직하다.

→ honest는 기초 어휘로 반드시 숙지해야 한다. 특히 부사형인 honestly는 독해와 생활영어에서도 화자의 의견을 나타낼 때 사용하는 표현으로 함께 알아두어야 한다.

2 핵심사항

솔직한	⟵⟶	진실하지 못한/기만적인
honest	deceptive	counterfeit
outspoken	dishonest	spurious
forthright	fake	specious
frank	false	misleading
candid	fraudulent	
straightforward	forged	

속이다
deceive
mislead
cheat
defraud
take in

cf) 솔직하게 말하자면
　to be honest
　honestly
　frankly

어휘

politician 정치인　ask for ~을 요청하다　hearing 청문회
fake 가짜의　informal 비공식적인　candid 솔직한
exaggerated 과장된

해석

질문에 대한 대답은 솔직해야만 한다; 정치인은 청문회장에서 요청된 어떤 정보도 숨기면 안 된다.

정답 ③

최중요 어휘 14 대담한, 소심한

밑줄 친 부분에 들어갈 말로 가장 적절한 것을 고르시오.

> A _____ decision involves making a choice in the face of fear or difficulty, and often requires a willingness to step outside of one's comfort zone.

① timid
② plain
③ coercive
④ courageous

1 분석

'대담한'과 반의어인 '소심한'은 10년간 7회 출제되었다.

→ 정답이 아닌 나머지 선택지로 자주 제시되었기 때문에 다른 어휘들과 반드시 구분하여 알아두어야 할 어휘이다.

→ 최신 출제 경향을 고려할 때, 명사형인 '대담, 용기'도 함께 알아두는 것이 좋다.

2 핵심사항

대담한	용감한	소심한
audacious	brave	trepid
bold	courageous	timid
daring	plucky	diffident
	intrepid	cowardly

cf) 위협하다
　threaten
　daunt
　intimidate
　browbeat
　menace

어휘

involve 수반하다   in the face of ~에 직면하여
willingness 기꺼이 하는 마음   comfort zone 안전지대
timid 소심한   plain 쉬운   coercive 강압적인
courageous 용기 있는

해석

용기 있는 결정은 두려움이나 어려움을 직면한 채 선택하는 것을 수반하고, 자신의 안전지대에서 기꺼이 벗어날 마음을 종종 요구한다.

정답 ④

최중요어휘 15 — 호화로운

밑줄 친 부분에 들어갈 말로 가장 적절한 것을 고르시오.

> The dictator built an unnecessarily _____ palace, where he could fully enjoy all kinds of luxury and pleasure.

① hidden
② solid
③ empty
④ extravagant

1 분석

'호화로운'은 10년간 5회 출제되었다.

→ extravagant는 어휘에서 3회, 그리고 독해에서 2회 출제될 만큼 자주 등장하는 어휘이다. 이 단어는 '사치스러운, 터무니없는' 두 가지 의미를 가지고 있기 때문에 문맥에 맞게 적절한 의미로 해석해야 한다.

2 핵심사항

호화로운/사치스러운	절약하는/검소한	인색한
prodigal	frugal	stingy
extravagant	thrifty	miserly
lavish	economical	parsimonious
opulent		mean
wasteful		
luxurious		

어휘

dictator 독재자   unnecessarily 쓸데없이   palace 궁전
luxury 사치   hidden 숨겨진   solid 견고한   empty 비어 있는
extravagant 호화로운

해석

그 독재자는 쓸데없이 호화로운 궁전을 건설했고, 그곳에서 온갖 사치와 쾌락을 한껏 즐길 수 있었다.

정답 ④

최중요 어휘 16 — 활동하지 않는, 기력이 없는

밑줄 친 부분에 들어갈 말로 가장 적절한 것을 고르시오.

> Don't leave yourself long in a(n) _____ state of doing nothing and standing still. Stay motivated, be confident, and actively pursue your ambitions.

① listless
② allured
③ irresponsible
④ distracted

1 분석

'활동하지 않는, 기력이 없는'은 10년간 5회 출제되었다.

→ '활동하지 않는'은 완전히 활동이 없는 상태도 의미하지만, 느릿느릿 움직이는 상태도 의미하기 때문에 '게으른'과 유의어로 사용되기도 한다. 따라서 우리말 뜻의 1:1 대응보다는 상황이나 문맥에 맞는 유의어를 선택하는 것이 중요하다.

2 핵심사항

활동하지 않는/기력이 없는		활동적인
inactive	sluggish	energetic
inert	lethargic	lively
static	listless	active
sedentary		dynamic
stagnant		passionate
dormant		

어휘
standing still 가만히 있다   motivate 동기를 부여하다
confident 자신감 있는   pursue 추구하다   ambition 야망
listless 무기력한   allured 유혹받은   irresponsible 무책임한
distracted 산만한

해석
아무것도 하지 않고 가만히 있는 무기력한 상태에 자신을 오래 방치하지 마라. 의욕을 갖고, 자신감을 가지고, 적극적으로 자신의 야망을 추구하라.

정답 ①

최중요 어휘 17 해로운

밑줄 친 부분에 들어갈 말로 가장 적절한 것을 고르시오.

The developing country concealed _____ effects of transnational firms' products and endangered the people's life and health.

① favorable
② arduous
③ active
④ harmful

1 분석

'해로운'은 지난 10년간 5회 출제되었다.

→ harmful은 독해 지문에 5회 출제되었으며 기초 어휘 harm(피해)의 파생어로 반드시 알아둬야 한다.

→ '해로운'의 반의어는 '~이 없는,' 즉 부정의 의미가 있는 접두사 in-이나 접미사 -less의 형태를 가지고 있기 때문에 반의어를 파악하기가 상대적으로 쉽다.

2 핵심사항

해로운	⟷	무해한
harmful		harmless
deleterious		innocuous
detrimental		innoxious
damaging		
noxious		
nocuous		
inimical		

어휘

developing country 개발도상국 conceal 은폐하다
transnational 초국적의 firm 회사 endanger 위험하게 하다
favorable 호의적인 arduous 몹시 힘든 active 활동적인
harmful 해로운

해석

그 개발도상국은 초국적 기업 제품의 유해한 영향을 은폐해서 국민의 생명과 건강을 위험하게 했다.

정답 ④

memo

공무원 영어의 시작과 끝
2026 이동기 영어

Sail with the breeze,
English with ease.

PART 3
생활영어

Chapter 01 신경향 출제유형과 전략

Chapter 02 주요 상황별 생활영어

Chapter 01
신경향 출제유형과 전략

신경향 출제유형 01	빈칸 앞 근거
신경향 출제유형 02	빈칸 뒤 근거
신경향 출제유형 03	메신저 대화 – 빈칸 앞 근거
신경향 출제유형 04	메신저 대화 – 빈칸 뒤 근거

출제유형 01 빈칸 앞 근거

밑줄 친 부분에 들어갈 말로 가장 적절한 것은? 2025 국가직 9급

> A: Aren't you going to have lunch?
> B: No, I'm not hungry. I'd rather read my book. I'm reading *The Lucky Club*.
> A: *The Lucky Club*? What's it about?
> B: Well, it's about a group of Korean women who live in Los Angeles. The main character is a woman born in America whose mother came from Korea.
> A: It sounds interesting. Who's it by?
> B: _____.
> A: She wrote *The Heroine Generation*, too, didn't she?
> B: No, that was written by May Lee.
> A: Oh, I see.

① I have already read it
② Lin Lee is the author
③ It originally belongs to me
④ She is one of my relatives in Korea

어휘

rather 차라리   main character 주인공   author 작가
originally 원래   belong to ~의 것이다   relative 친척

해석

A: 점심 안 먹을 거야?
B: 응, 배 안 고파. 차라리 책이나 읽을래. 지금 <The Lucky Club> 읽고 있어.
A: <The Lucky Club>? 무슨 내용이야?
B: 음, LA에 사는 한국 여성들 이야기야. 주인공은 미국에서 태어난 여자고, 엄마는 한국에서 오신 분이야.
A: 재밌겠다. 누가 쓴 거야?
B: Lin Lee가 작가야.
A: <The Heroine Generation>도 그 사람이 썼지?
B: 아니, 그건 May Lee가 쓴 거야.
A: 아, 그렇구나.
① 나는 그 책을 이미 읽었어
③ 원래 그건 내 거였어
④ 그 사람은 한국에 있는 내 친척 중 한 명이야

정답 ②

분석

Step 1 처음 한두 문장에서 대화의 소재를 파악한다.
B: No, I'm not hungry. I'd rather read my book. I'm reading *The Lucky Club*.

Step 2 빈칸 앞뒤 문장에 중점을 두어 대화를 읽는다.
책 내용을 설명함 → 저자가 누구인지 질문함 → 빈칸 → 그 저자가 다른 작품도 썼다고 언급함

Step 3 근거가 되는 정보에 동그라미를 표시한다.
A: It sounds interesting. Who's it by?

Step 4 선택지를 읽고 빈칸에 들어갈 적절한 말을 고른다.
① I have already read it
② Lin Lee is the author
③ It originally belongs to me
④ She is one of my relatives in Korea

Step 5 정답을 빈칸에 넣어 대화의 흐름이 자연스러운지 재확인한다.
A: It sounds interesting. Who's it by?
B: Lin Lee is the author.

출제유형 02 빈칸 뒤 근거

밑줄 친 부분에 들어갈 말로 가장 적절한 것은? 2024 지방직 9급

> A: Hello, can I ask you a question about the presentation next Tuesday?
> B: Do you mean the presentation about promoting the volunteer program?
> A: Yes. Where is the presentation going to be?
> B: Let me check. It is room 201.
> A: I see. Can I use my laptop in the room?
> B: Sure. We have a PC in the room, but you can use yours if you want.
> A: _____
> B: We can meet in the room two hours before the presentation. Would that work for you?
> A: Yes. Thank you very much!

① A computer technician was here an hour ago.
② When can I have a rehearsal for my presentation?
③ Should we recruit more volunteers for our program?
④ I don't feel comfortable leaving my laptop in the room.

어휘
promote 홍보하다   laptop 노트북   work 괜찮다(적당하다)

해석
A: 안녕하세요, 다음 주 화요일에 있을 발표에 대해 여쭤봐도 될까요?
B: 자원봉사 프로그램 홍보에 대한 발표를 말씀하시는 건가요?
A: 네. 발표는 어디서 진행될 예정인가요?
B: 확인해 보겠습니다. 201번 방입니다.
A: 그렇군요. 그 방에서 제 노트북을 사용할 수 있나요?
B: 물론이죠. 방에 개인용 컴퓨터가 있긴 하지만, 원하시면 당신의 노트북을 사용해도 돼요.
A: 발표의 리허설은 언제 할 수 있을까요?
B: 우리는 발표 2시간 전에 그 방에서 만날 수 있어요. 괜찮으신가요?
A: 네. 정말 감사합니다!
① 한 시간 전에 컴퓨터 기술자가 여기에 있었어요.
③ 우리 프로그램을 위해 더 많은 자원봉사자를 모집해야 할까요?
④ 노트북을 그 방에 놔두는 게 불편해요.

정답 ②

분석

Step 1 처음 한 두 문장에서 대화의 소재를 파악한다.
A: Hello, can I ask you a question about <u>the presentation</u> next Tuesday?

Step 2 빈칸 앞뒤 문장에 중점을 두어 대화를 읽는다.
발표 장소에 대한 문답 → 노트북 사용 여부 문답 → 빈칸 → 발표 2시간 전에 가능하다고 답변 → 긍정의 대답

Step 3 근거가 되는 정보에 동그라미를 표시한다.
B: We can meet in the room <u>two hours before the presentation</u>.

Step 4 선택지를 읽고 빈칸에 들어갈 적절한 말을 고른다.
① ~~A computer technician was here an hour ago.~~
② <u>When</u> can I have <u>a rehearsal for my presentation</u>?
③ Should we ~~recruit more volunteers for our program~~?
④ I ~~don't feel comfortable leaving my laptop~~ in the room.

Step 5 정답을 빈칸에 넣어 대화의 흐름이 자연스러운지 재확인한다.
A: When can I have a rehearsal for my presentation?
B: We can meet in the room two hours before the presentation.

출제유형 03 — 메신저 대화 – 빈칸 앞 근거

밑줄 친 부분에 들어갈 말로 가장 적절한 것은? 2025 국가직 9급

Alex Brown
Hello. Do you remember we have a meeting with the city hall staff this afternoon?
10:10

Cathy Miller
Is it today? Isn't it tomorrow?
10:11

Alex Brown
I'll check my calendar. I'm sorry, I was mistaken. The meeting is at 2 pm tomorrow.
10:13

Cathy Miller
Yes, that's right.
10:13

Alex Brown
You know we don't have to go to city hall for the meeting, right?
10:15

Cathy Miller
_____. It's sometimes more convenient.
10:16

Alex Brown
I agree. Please share the meeting URL. Also, could you send me the ID and password?
10:19

Cathy Miller
Sure, I'll share them via email and text.
10:19

① Yes, it's an online meeting
② Yes, be sure to reply to the email
③ No, I didn't receive your text message
④ No, I don't have another meeting today

어휘
mistaken 착각한 convenient 편리한 reply 회신하다
receive 받다

정답 ①

분석

Step 1 처음 한두 문장에서 대화의 소재를 파악한다.
Alex Brown: Hello. Do you remember we have a meeting with the city hall staff this afternoon?

Step 2 빈칸 앞뒤 문장에 중점을 두어 대화를 읽는다.
회의 날짜와 시간에 관한 문답 → 회의 장소로의 이동이 불필요함을 확인 → 빈칸 → 동의 후 URL 공유 요청

Step 3 근거가 되는 정보에 동그라미를 표시한다.
Alex Brown: You know we don't have to go to city hall for the meeting, right?

Step 4 선택지를 읽고 빈칸에 들어갈 적절한 말을 고른다.
① Yes, it's an online meeting
② Yes, be sure to reply to the email
③ No, I didn't receive your text message
④ No, I don't have another meeting today

Step 5 정답을 빈칸에 넣어 대화의 흐름이 자연스러운지 재확인한다.
Alex Brown: You know we don't have to go to city hall for the meeting, right?
Cathy Miller: Yes, it's an online meeting.

해석

Alex Brown: 안녕하세요. 오늘 오후에 시청 직원들과 회의 있는 거 기억하시죠?
Cathy Miller: 오늘이에요? 내일이 아닌가요?
Alex Brown: 제 달력을 확인해볼게요. 죄송해요, 제가 착각했어요. 회의는 내일 오후 2시예요.
Cathy Miller: 네, 맞아요.
Alex Brown: 우리 그 회의 하려고 시청에 갈 필요는 없는 거 아시죠?
Cathy Miller: 네, 온라인 회의잖아요. 그게 더 편할 때도 있더라고요.
Alex Brown: 동감이에요. 회의 URL을 공유해 주세요. 그리고 ID와 비밀번호도 보내주시겠어요?
Cathy Miller: 네, 이메일과 문자로 보낼게요.
② 네, 이메일에 꼭 회신하세요
③ 아니요, 문자 메시지를 못 받았어요
④ 아니요, 오늘 다른 회의는 없어요

출제유형 04 메신저 대화 – 빈칸 뒤 근거

밑줄 친 부분에 들어갈 말로 가장 적절한 것은? 인사혁신처 2차 예시

Tim Jones
Hi, I'm interested in renting one of your meeting rooms.
3:10

Jane Baker
Thank you for your interest. We have several spaces available depending on the size of your meeting. We can accommodate groups of 5 to 20 people.
3:11

Tim Jones
That sounds great. We need a room for 17, and the meeting is scheduled for next month.
3:13

Jane Baker
_____
3:14

Tim Jones
The meeting is going to be on Monday, July 15th. Do you have a meeting room available for that day?
3:15

Jane Baker
Yes, we do. I can reserve the space for you and send you a confirmation email with all the details.
3:17

① Could I have your contact information?
② Can you tell me the exact date of your meeting?
③ Do you need a beam projector or a copy machine?
④ How many people are going to attend the meeting?

어휘
rent 빌리다   accommodate 수용하다   reserve 예약하다
confirmation 확인

정답 ②

분석

Step 1 처음 한두 문장에서 대화의 소재를 파악한다.
Tim Jones: Hi, I'm interested in renting one of your meeting rooms.

Step 2 빈칸 앞뒤 문장에 중점을 두어 대화를 읽는다.
회의실 임대에 관한 문답 → 빈칸 → 회의가 열리는 정확한 날짜를 제시 → 해당 날짜에 회의실 이용 여부 확인

Step 3 근거가 되는 정보에 동그라미를 표시한다.
Tim Jones: The meeting is going to be on Monday, July 15th.

Step 4 선택지를 읽고 빈칸에 들어갈 적절한 말을 고른다.
① Could I have your contact information?
② Can you tell me the exact date of your meeting?
③ Do you need a beam projector or a copy machine?
④ How many people are going to attend the meeting?

Step 5 정답을 빈칸에 넣어 대화의 흐름이 자연스러운지 재확인한다.
Jane Baker: Can you tell me the exact date of your meeting?
Tim Jones: The meeting is going to be on Monday, July 15th.

해석
Tim Jones: 회의실 하나를 빌리고 싶은데요.
Jane Baker: 관심 가져주셔서 감사합니다. 회의 규모에 따라 이용 가능한 공간이 여러 개 있습니다. 저희는 5명에서 20명까지 수용할 수 있습니다.
Tim Jones: 좋네요. 저희는 17명이 들어갈 수 있는 방이 필요하고, 회의는 다음 달에 예정되어 있습니다.
Jane Baker: 회의 날짜를 정확히 말씀해주시겠어요?
Tim Jones: 회의는 7월 15일 월요일에 열릴 예정입니다. 그날 이용 가능한 회의실이 있나요?
Jane Baker: 네, 있습니다. 공간을 예약해드리고, 모든 세부 사항이 담긴 확인 이메일을 보내드리겠습니다.
① 당신의 연락처를 알 수 있을까요?
③ 빔프로젝터나 복사기가 필요하신가요?
④ 몇 명이 회의에 참석하나요?

Chapter 02
주요 상황별 생활영어

주요 상황 01	관공서
주요 상황 02	관광 - 여행 및 숙박, 식당
주요 상황 03	공항 및 도로 교통
주요 상황 04	공공장소 - 은행, 병원, 도서관

주요 상황 01 관공서

밑줄 친 부분에 들어갈 말로 가장 적절한 것은?

> A: Hello, this is the Municipal Office. How can I help you?
> B: Hi, I'm calling about my property tax assessment. I think there is a mistake.
> A: Can you specify what the problem is?
> B: The size is incorrect. _____
> A: You may file an appeal with the State Tax Tribunal.
> B: Will you also let me know when I need to file it?
> A: You may do within 30 days from the issued date on the notice.
> B: Thank you for your help.

① I want to dispute the assessment.
② I have filed out the form.
③ Do I bring my identification with me?
④ I know that's not your fault.

어휘

municipal office 시청 property tax assessment 자산 평가액
specify 구체적으로 말하다 appeal 이의 신청(서) tribunal 심판소
dispute 이의를 제기하다 issue 발행하다 file 제출하다
identification 신분증

해석

A: 안녕하세요, 시청입니다. 어떻게 도와드릴까요?
B: 안녕하세요, 자산 평가액 때문에 전화했어요. 착오가 있는 것 같은데요.
A: 문제가 무엇인지 구체적으로 말씀해주시겠어요?
B: 규모가 틀렸어요. 평가액에 대해 이의 신청을 하고 싶어요.
A: 주 조세 심판소에 이의 신청을 하시면 됩니다.
B: 언제까지 이의 신청을 해야 하는지도 알려주시겠어요?
A: 고지서 발행일로부터 30일 안에 하시면 됩니다.
B: 도와주셔서 감사합니다.
② 양식을 이미 제출했어요.
③ 신분증을 지참해야 하나요?
④ 당신의 잘못이 아니라는 걸 알고 있어요.

정답 ①

1 분석

구청, 동사무소, 세무서, 우체국 등에서 자주 사용할 만한 유용한 표현들을 알아두어야 한다.

2 핵심사항

일반 관청
application form 신청서
bureaucracy 관료주의
public service 공공 서비스
government official 정부 공무원
civil servant 공무원
public records 공공 기록물
tax return 세금 신고
municipal office 시청
embassy 대사관
consulate 영사관
public hearing 공청회
official document 공식 문서
official business trip 공무 출장
civil complaint 민원
minimum wage 최저 임금

우체국
surface mail (= regular mail) 보통 우편
express mail 빠른 우편
registered mail 등기우편
international mail 국제 우편
airmail (= air) 항공 우편
junk mail 광고 우편물
delivery receipt 배달 영수증
zip code 우편번호
rent a P.O. Box 사서함을 대여하다
address 주소
courier 운반, 택배
parcel (= package) 소포
fragile sticker 취급주의 스티커
mail carrier (= mailman) 우체부
enclose 동봉하다

주요 상황 02
관광 – 여행 및 숙박, 식당

밑줄 친 부분에 들어갈 말로 가장 적절한 것은?

> A: I'm going to fly to Chicago next month.
> B: Okay. Where do you plan to depart from?
> A: New York City.
> B: Let me take a look at the flight schedule.
> A: How much is the cheapest flight?
> B: It's 250 dollars if you make a reservation now.
> A: I see. _____?
> B: At least 30 minutes ahead of the time.

① When were we supposed to leave
② How long is the flight going to be
③ Where I do need to go before the departure
④ How long before the departure should I be at the airport

어휘

depart 출발하다   reservation 예약   appointment 예약
departure 출발

해석

A: 다음 달에 비행기로 시카고에 가려고 해요.
B: 네. 어디서 출발할 계획이신가요?
A: 뉴욕시요.
B: 비행 시간표를 살펴보겠습니다.
A: 제일 싼 비행기표는 얼마인가요?
B: 지금 바로 예약하시면 250달러입니다.
A: 그렇군요. 공항에는 출발하기 얼마 전에 가야 하나요?
B: 적어도 비행시간 30분 전이요.
① 제가 언제 떠나기로 되어 있었나요?
② 비행은 얼마나 걸릴까요
③ 출발하기 전에 어디로 가야 하나요

정답 ④

1 분석

여행을 계획하거나 숙박업소와 식당 등을 이용할 때 주로 사용할 수 있는 다양한 표현들을 학습해 두어야 한다.

2 핵심사항

여행/숙박

agency/agent 여행사/대리인
itinerary 일정표
make a reservation 예약하다
confirm a reservation 예약 확인하다
admission price 입장료
room with a view 전망 좋은 객실
additional guest 추가 손님
extra charges 여분의 비용
accommodation 숙박
one-way trip 편도 여행
round trip 왕복 여행
guided tour 가이드 투어
attraction 명소

식당

order(= make[place, put in] an order) 주문하다
take an order 주문 받다
chef's special 주방장 특선 요리
today's special 오늘의 특선 요리
to-go 포장
to-go box 포장 용기
tab water 수돗물
leftover 남은 음식
separate 먹은 것을 각자 계산하는 것
split 1/n하는 것
bill(= check) 계산서
appetizer 전채 요리
main course(= entrée) 주요리
dessert 디저트
recipe 조리법
cuisine 요리
sample 샘플; 맛보다

주요 상황 03 공항 및 도로 교통

밑줄 친 부분에 들어갈 말로 가장 적절한 것은?

> A: Can I see your identification?
> B: Yes, sir. Did I do something wrong?
> A: You ran a red light.
> B: Oh, I thought _____.
> A: Hey, the red light means 'STOP', no matter what.
> B: I'm very sorry. I promise it won't happen again.
> A: I'll give you a ticket.
> B: Oh, no! Cut me some slack, please.

① I violated a traffic signal
② there weren't any cars coming
③ they were waiting for the light to change
④ I shifted gear to neutral

어휘

identification 신분증   run a red light 신호 위반을 하다
cut ~ some slack ~를 봐주다   violate 위반하다   shift 변경하다
neutral 중립

해석

A: 신분증을 보여주시겠어요?
B: 네. 제가 뭘 잘못했나요?
A: 신호 위반을 하셨습니다.
B: 아, 차가 한 대도 오지 않는 줄 알았어요.
A: 이보세요, 빨간 신호는 무슨 일이 있어도 '멈추라'는 뜻입니다.
B: 정말 죄송해요. 다시는 그러지 않겠습니다.
A: 딱지를 끊겠습니다.
B: 오, 안 돼요! 좀 봐주세요.
① 제가 교통 신호를 위반한
③ 그들이 신호가 바뀌기를 기다리고 있는
④ 제가 기어를 중립으로 바꾼

정답 ②

1 분석

공항에 가거나 차량을 이용해서 이동할 때 흔히 등장할 수 있는 중요한 표현들을 알아두어야 한다.

2 핵심사항

공항

airport facilities 공항 시설
duty free shop 면세점
lost and found 분실물 보관소
customs 세관
tax refund 세금 환급
baggage claim 수화물 찾는 곳
departure gate 출발 탑승구
identification 신분증
immigration 출입국 관리소(입국)
check-in counter 탑승 수속 창구
boarding gate 탑승구
boarding pass 탑승권
check in 탑승 수속
exchange 환전(currency exchange)

교통

drop off the rent 빌린 차를 반납하다
international driver's license 국제 운전면허증
renew (면허증 등을) 갱신하다
expire (면허증 등이) 만기되다
license plate 번호판
flat tire 구멍 난 타이어
break down 차가 고장나다
speed bump 과속방지턱
car-wreck 자동차 사고
get the car started 차에 시동을 걸다
rear view mirror 백미러
rear door 뒷문
road sign 교통 표지판
bus-only lane 버스 전용차선
valet parking 대리주차
traffic congestion 교통 체증

주요 상황 04
공공장소 – 은행, 병원, 도서관

밑줄 친 부분에 들어갈 말로 가장 적절한 것은?

A: How did my X-ray turn out?
B: Your left ankle bone is fine.
A: That's good news! But why does it hurt so much?
B: That's because the muscles are a bit swollen.
A: When do you think it will get better?
B: Well, just rub in salve and take a rest for a week or so.
A: A week? Oh, my goodness. I'll have to practice soccer tomorrow.
B: _____

① You don't need to compromise with reality.
② Why didn't you invite me to the game?
③ It takes time for your muscles to bounce back.
④ Right. It's a very important time in my career.

어휘
turn out (결과가) 나오다 swollen 부은 salve 연고
compromise 타협하다 bounce back 회복하다

해석
A: 제 엑스레이 결과가 어떻게 나왔나요?
B: 왼쪽 발목뼈는 괜찮아요.
A: 좋은 소식이네요! 하지만 왜 그렇게 많이 아픈 거죠?
B: 근육이 조금 부었기 때문이에요.
A: 언제 나아질 것 같으세요?
B: 음, 연고를 바르고 1주일 정도 쉬세요.
A: 1주일이요? 세상에. 저 내일 축구 연습해야 하는데요.
B: 근육이 회복되는 데는 시간이 걸려요.
① 현실과 타협할 필요가 없어요.
② 경기에 저를 왜 초대하지 않았어요?
④ 맞아요. 제 경력에 아주 중요한 시기에요.

정답 ③

1 분석
은행, 병원, 도서관 등의 공공장소에서 유용하게 사용할 수 있는 주요 표현들을 알아두어야 한다.

2 핵심사항

은행
open an account 계좌를 열다
bank statement 입출금 내역서
make a deposit 입금하다
loan application 대출 신청서
get a loan 대출 받다
current rate 현행 금리
interest rate 이자
minimum balance 최소 잔고
transfer 이체하다
wire 송금하다
withdraw 인출하다

병원
ER(= emergency room) 응급실
general hospital 종합병원
reception desk 접수대
waiting area 대기실
fill in the sheet 서류를 작성하다
medical checkup(examination) 건강검진
diagnose 진단하다
physician 내과의사
surgeon 내과 의사
surgery(= operation) 수술
prescription 처방전

도서관
information desk 안내창
circulation desk 대출 데스크
membership card 회원증
check-out (책) 빌리다
return 반납하다
due date 반납일
overdue 기한이 지난
fine 벌금
rare book 진본, 희귀서적
xerox machine (= photocopy machine) 복사기

공무원 영어의 시작과 끝
2026 이동기 영어

Sail with the breeze,
English with ease.

PART 4
독해

Chapter 01   실용문 이해하기

Chapter 02   글의 주제 파악하기

Chapter 03   글의 흐름 파악하기

Chapter 01
실용문 이해하기

신경향 출제유형 01	**이메일(E-mail)**
	독해공식 01 신경향 지문의 목적/제목/요지

신경향 출제유형 01	**공지/안내문(Announcement)**
	독해공식 02 신경향 지문의 일치/불일치

신경향 출제유형 01	**인터넷 정보글(Web Document)**
	독해공식 03 신경향 지문의 유의어

출제유형 01 이메일(E-mail)

독해공식 01 신경향 지문의 목적/제목/요지

- 신경향 문제는 지문 하나에 다음 유형 중 하나 혹은 두 개의 문제가 출제된다:
  1. 글의 목적/제목/요지
  2. 일치/불일치
  3. 유의어

풀이 전략

Step 1 글의 전반부에서 중심 소재(topic)를 파악하라!
Step 2 글쓴이의 핵심 의견(idea)인 주제문을 찾아라!
Step 3 topic과 idea가 담긴 글의 목적/제목/요지를 선지에서 골라라!

쌤's TIP
topic이 포함되지 않은 선택지와 글에 언급되지 않은 내용이 포함된 선택지를 우선 제거한 뒤, topic과 idea가 적절히 포함된 선택지를 최종 선택하세요.

이메일 유형 대비

1. 이메일은 제목(Subject/Re)에 소재가 포함된 경우가 있으므로 제목과 첫 단락에서 중심 소재를 찾도록 한다.

2. 주로 불만 제기, 요청, 홍보, 공지, 경고 등이 목적인 경우가 많으므로 다음 표현을 유의해서 읽어야 한다.
   I am writing to express ~
   I want to express my gratitude ~
   I am pleased to announce that ~
   I would like to inform you that ~
   I am very sorry to inform you that ~

3. 이메일의 소재는 비즈니스나 관공서에서 다뤄질 수 있는 다양한 주제로 구성되므로 일정 안내, 세미나 참석 확인, 배송 안내, 주문 오류, 서비스 불만, 업무 지원 요청, 민원 제기 등에 관한 어휘들을 미리 공부해두는 것이 좋다.

적용 예시

[1~2] 다음 글을 읽고 물음에 답하시오. 인사혁신처 1차 예시

	Send Preview Save
To	Clifton District Office
From	Rachael Beasley
Date	June 7
Subject	Excessive Noise in the Neighborhood

To whom it may concern,

[01] I hope this email finds you well. [02] I am writing to express my concern and frustration regarding the excessive noise levels in our neighborhood, specifically coming from the new sports field.

[03] As a resident of Clifton district, I have always appreciated the peace of our community. [04] However, the ongoing noise disturbances have significantly impacted my family's well-being and our overall quality of life. [05] The sources of the noise include crowds cheering, players shouting, whistles, and ball impacts.

[06] I kindly request that you look into this matter and take appropriate **steps** to address the noise disturbances. [07] Thank you for your attention to this matter, and I appreciate your prompt response to help restore the tranquility in our neighborhood.

Sincerely,
Rachael Beasley

1. 윗글의 목적으로 가장 적절한 것은?
   ① 체육대회 소음에 대해 주민들의 양해를 구하려고
   ② 새로 이사 온 이웃 주민의 소음에 대해 항의하려고
   ③ 인근 스포츠 시설의 소음에 대한 조치를 요청하려고
   ④ 늦은 시간 악기 연주 같은 소음 차단을 부탁하려고

2. 밑줄 친 "steps"의 의미와 가장 가까운 것은?
   ① movements   ② actions
   ③ levels   ④ stairs

구조분석 및 해석

To: Clifton District Office
From: Rachael Beasley
Date: June 7
Subject: **Excessive Noise in the Neighborhood**
받는 사람: 클리프턴 지역 사무소 → 수신인
보낸 사람: Rachael Beasley → 발신인
날짜: 6월 7일 → 날짜
제목: 주변 지역의 과도한 소음 → 중심 소재(Topic)

To whom it may concern,
관계자 분께,

⁰¹ I hope this email finds you well. ⁰² I am writing to express my concern and frustration regarding the excessive noise levels in our neighborhood, specifically coming from the new sports field.
⁰¹ 안녕하세요. ⁰² 저는 우리 동네에서, 특히, 새로 지은 운동장에서 발생하는 나오는 과도한 소음 수준에 관한 저의 우려와 불만을 표현하기 위해 글을 씁니다.

→ 문제 제기: 과도한 소음 수준에 대한 우려와 불만 표현

⁰³ As a resident of Clifton district, I have always appreciated the peace of our community. ⁰⁴ However, the ongoing noise disturbances have significantly impacted my family's well-being and our overall quality of life. ⁰⁵ The sources of the noise include crowds cheering, players shouting, whistles, and ball impacts.
⁰³ 클리프턴 지역 주민의 한 사람으로서 저는 항상 우리 지역의 평화를 즐겨왔습니다. ⁰⁴ 그러나, 계속되는 소음 방해가 저의 가족의 행복과 우리의 전반적인 삶의 질에 상당한 영향을 주고 있습니다. ⁰⁵ 소음의 원인은 군중들의 환호, 선수들의 고함, 호각 소리, 공이 부딪히는 소리가 포함되어 있습니다.

→ 세부 사항: 지역 운동장에서 발생하는 소음 방해

⁰⁶ **I kindly request that you look into this matter and take appropriate steps to address the noise disturbances.** ⁰⁷ Thank you for your attention to this matter, and I appreciate your prompt response to help restore the tranquility in our neighborhood.
⁰⁶ 저는 당신이 이 문제를 조사하고 소음 방해를 해결하기 위해 적절한 조치를 취하기를 진심으로 요청합니다. ⁰⁷ 이 문제에 대한 당신의 관심에 감사드리며 우리 동네의 평온함을 회복하는 데 도움이 되도록 즉각 조치해주시면 감사하겠습니다.

→ 글의 목적 및 마무리 인사: 소음 방해에 대한 적절한 조치 요청

Sincerely,
Rachael Beasley
진심을 담아,
Rachael Beasley

해설

1. 첫 문단의 두 번째 문장에서 새로 지은 운동장에서 발생하는 과도한 소음 수준에 대한 우려와 불만을 표현하기 위해서 글을 쓴다고 했고 세 번째 문단의 첫 문장에서 이 소음 문제를 해결하기 위해 적절한 조치를 요청하고 있다. 따라서 글의 목적으로 가장 적절한 것은 ③ '인근 스포츠 시설의 소음에 대한 조치를 요청하려고'가 가장 적절하다. 체육대회, 새로 이사 온 주민, 악기 연주 등은 언급되지 않아 답이 될 수 없다.

2. 이 글의 steps는 문맥상 '조치'를 의미하므로 ② actions가 가장 가까운 뜻이다. step은 '조치, 발걸음, 단계, 계단' 등의 다양한 뜻이 있다.

어휘

To whom it may concern 관계자 분께 frustration 불만
sports field 운동장 resident 주민
appreciate 진가를 인정하다 disturbance 방해
cheer 환호하다 shout 고함지르다 whistle 호각 impact 타격
take a step 조치를 취하다 appropriate 적절한
address 해결하다 attention 관심 prompt 즉각적인
response 조치 restore 회복하다 tranquility 평온함
movement 움직임 action 조치 level 수준 stair 계단

정답) 1 ③ 2 ②

전략 적용하기

1 제목과 도입부에서 글의 소재와 목적 찾기

글의 초반부에서 중심 소재(topic)와 주제문을 찾아 써 보세요.

중심 소재	주변 지역의 과도한 소음
목적	소음 방해에 대한 적절한 조치 요청

2 선택지에서 답 찾기

선택지를 읽으며 중심 소재(topic)에는 동그라미, idea에는 밑줄을 그어서 답을 찾으세요.

① 체육대회 소음에 대해 주민들의 양해를 구하려고
언급 없음

② 새로 이사 온 이웃 주민의 소음에 대해 항의하려고
언급 없음

③ 인근 스포츠 시설의 소음에 대한 조치를 요청하려고
topic과 idea가 포함된 정답

④ 밤시간 악기 연주와 같은 소음의 차단을 부탁하려고
언급 없음

다음 글의 목적으로 가장 적절한 것은?

2025 국가직 9급

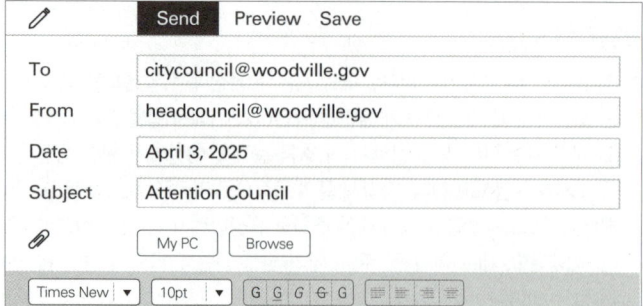

Dear Members of the Woodville City Council,

I am writing to inform you of several issues in our community that need attention. A resident, John Smith, of 123 Elm Street, has reported problems with the road conditions on Elm Street, especially between Maple Avenue and Oak Street. There are many potholes and cracks that have worsened after recent heavy rain, causing traffic disruptions and safety hazards. Even though temporary repairs have been made, the problems continue.

The resident is also concerned about poor lighting in Central Park, especially along Park Lane, because broken or missing streetlights have led to minor accidents and lowered property values. He requests that the Council repair Elm Street and improve the lighting in the park.

I urge the Council to address these issues for the safety and well-being of our community. Thank you for your attention to these matters. I trust we will work together to resolve these issues effectively.

Sincerely,
Stephen James
Head Council

① to express gratitude to the Council for their efforts
② to invite the Council to visit Central Park
③ to solicit the Council to deal with the community problems
④ to update the Council on recent repairs made in the area of Woodville City

실전 예제 02

다음 이메일의 내용과 일치하지 않는 것은? 2024 지방직 9급

Dear Sir,

01 I am writing to ask for information about Metropolitan Conference Center.

02 We are looking for a venue for a three-day conference in September this year. We need to have enough room for over 200 delegates in your main conference room, and we would also like three 04 small conference rooms for meetings. Each 05 conference room needs wi-fi as well. We need to have coffee available mid-morning and mid-afternoon, and we would also like to book your restaurant for lunch on all three days.

06 In addition, could you please let me know if there are any local hotels with discount rates for Metropolitan clients or large groups? We will need 07 accommodations for over 100 delegates each night.

08 I look forward to hearing from you.

Best regards,
Bruce Taylor, Event Manager

① 주 회의실은 200명 이상의 대표자를 수용할 수 있어야 한다.
② wi-fi가 있는 작은 회의실 3개가 필요하다.
③ 3일간의 저녁 식사를 위한 식당 예약이 필요하다.
④ 매일 밤 100명 이상의 대표자를 위한 숙박시설이 필요하다.

정답 해설

구조분석 및 해석

수신: reserve@metropolitan.com
발신: BruceTaylor@westcity.com
날짜: 2024년 6월 22일
제목: 행사장 시설 → 중심 소재(Topic)

관계자분께,

01 메트로폴리탄 컨퍼런스 센터에 대한 정보를 요청하고자 메일 드립니다.
→ 글의 목적: 센터에 대한 정보 요청

02 저희는 올해 9월에 3일간의 회의 장소를 찾고 있습니다.
03 귀사의 주 회의실에 200명 이상의 대표자들을 수용할 수 있는 충분한 공간이 필요하며, → ① O
또한 회의를 위한 3개의 소규모 회의실이 필요합니다. 04 각 회의실에는 wi-fi도 필요합니다. → ② O
05 오전 중간과 오후 중간에 커피가 필요하며, 3일 모두 점심 식사를 위해 귀사의 레스토랑을 예약하고 싶습니다. → ③ X
→ 요청 1: 시설 조건 및 서비스 문의

06 또한 메트로폴리탄 고객이나 대규모 단체를 위한 할인 요금이 있는 현지 호텔이 있는지 알려주시겠습니까? 07 매일 밤 100명 이상의 대표단 숙소가 필요할 것입니다. → ④ O
→ 요청 2: 숙박 관련 문의

08 회신 기다리겠습니다.
→ 마무리 인사

감사합니다.
Bruce Taylor, 행사 관리자

해설

③ 다섯 번째 문장에서 점심 식사를 위한 식당 예약이 필요하다고 했으므로 글의 내용과 일치하지 않는다.
① 세 번째 문장에서 주 회의실은 200명 이상의 대표자를 수용할 수 있어야 한다고 하므로 글의 내용과 일치한다.
② 세 번째 문장에서 작은 회의실 3개가 필요하다고 하고, 네 번째 문장에서 모두 wi-fi가 있어야 한다고 하므로 글의 내용과 일치한다.
④ 일곱 번째 문장에서 매일 밤 100명 이상의 대표자를 위한 숙박시설이 필요하다고 하므로 글의 내용과 일치한다.

어휘

venue 행사장, 장소   facility 시설   conference 회의
delegate 대표자   book 예약하다   discount rate 할인 요금
accommodation 숙박시설

정답 ③

출제유형 02 공지/안내문(Announcement)

독해공식 02 | 신경향 지문의 일치/불일치

- 신경향 문제는 지문 하나에 다음 유형 중 하나 혹은 두 개의 문제가 출제된다:
  1. 글의 목적/제목/요지
  2. 일치/불일치
  3. 유의어

풀이 전략

Step 1 일치/불일치 선택지에서 검색할 정보에 동그라미를 해라!

Step 2 지문을 빠르게 읽으며 선택지에서 동그라미 한 정보 위주로 검색하라!

Step 3 검색한 정보와 선택지의 내용을 비교하라!

쌤's TIP
선택지에 등장한 고유명사, 특정 요일, 날짜, 숫자, only, exclusively 등에 주의하고, paraphrase된 표현에 유의하여 단어 자체가 아닌 의미의 일치/불일치를 파악해야 해요.

 공지/안내문 유형 대비

1. 공지/안내문은 제목에 소재가 포함되므로 제목과 첫 단락에서 중심 소재를 찾도록 한다.

2. 주로, 지역 축제 등의 행사 안내, 시설 보수 공사, 사내 규정, 인사 발령, 공연, 세미나, 교통시설 운영 변경 등을 다루기 때문에 다음과 같은 표현이 나오면 주의해서 읽어야 한다.

   We're pleased to announce ~
   Please note the revised schedule for ~
   The meeting has been rescheduled to ~
   We are launching a new service ~
   We are introducing a new policy ~
   You are invited to attend ~
   Join us for the grand opening of ~
   Our system will be undergoing maintenance ~
   Please be aware of the upcoming update ~

적용 예시

[1~2] 다음 글을 읽고 물음에 답하시오. 2025 국가직 9급

(A)

Each year in July people all over the world aim to exclude common plastic waste items from their daily life, opting instead for reusable containers or those made from biodegradable materials. We think this is a great idea, and why not make it a year-round effort at home and in the workplace?

The vision started in Western Australia in 2011 and has since moved across the world to help promote the vision and stop the earth becoming further saturated with plastic materials which are part of our convenience lifestyle.

Lots of items are designed to be used once and disposed of. They fill up bins in homes, schools, at work and on streets across the world.

You can assist in achieving the goal of having a world without plastic waste.

Choose what you will do
- Avoid single-use plastic packaging
- Target the takeaway items that could end up in the ocean
- Go completely plastic free

I will participate
- for 1 day
- for 1 week
- for 1 month
- from now on

---

1. (A)에 들어갈 윗글의 제목으로 가장 적절한 것은?

① Development of Single-Use Items
② Join the Plastic-Free Challenge
③ How to Dispose of Plastic Items
④ Simple Ways to Save Energy

2. 윗글에서 캠페인에 관한 내용과 일치하지 않는 것은?

① 2011년 서호주에서 시작되었다.
② 플라스틱 과다 사용을 줄이기 위해 전 세계로 확산되었다.
③ 실천할 활동을 선택하여 참여할 수 있다.
④ 최대 한 달까지 참여할 수 있다.

구조분석 및 해석

(A) Join the Plastic-Free Challenge
(A) 플라스틱 안 쓰기 도전에 참여하세요

01 Each year in July people all over the world aim to exclude common plastic waste items from their daily life, opting instead for reusable containers or those made from biodegradable materials. **02** We think this is a great idea, and why not make it a year-round effort at home and in the workplace?

01 매년 7월, 전 세계 사람들은 일상생활에서 흔한 플라스틱 쓰레기를 몰아내고, 대신 재사용 가능한 용기나 생분해성 소재로 만든 제품을 선택하는 것을 목표로 삼고 있습니다. **02** 우리는 이것은 훌륭한 아이디어라고 생각하며 가정과 직장에서 연중 내내 실천해 보면 어떨까요?

→ **01** 중심 소재(Topic): 플라스틱 없는 삶

03 The vision started in Western Australia in 2011 and has since moved across the world to help promote the vision and stop the earth becoming further saturated with plastic materials which are part of our convenience lifestyle. ② O ① O

03 이 비전은 2011년 호주에서 시작되었으며 그 이후 이 비전을 널리 알리고 지구가 우리의 편리한 생활방식의 일부인 플라스틱 물질로 한층 포화상태가 되는 것을 막는 데 도움이 되도록 전 세계로 확산되었습니다.

04 Lots of items are designed to be used once and **05** disposed of. They fill up bins in homes, schools, at work and on streets across the world.

04 많은 제품들이 한 번 사용하고 버리도록 설계되어 있습니다. **05** 그것들은 전 세계의 가정, 학교, 직장, 거리의 쓰레기통을 가득 채웁니다.

06 You can assist in achieving the goal of having a world without plastic waste.

06 플라스틱 쓰레기가 없는 세상을 만드는 목표를 달성하는 데 여러분도 힘을 보탤 수 있습니다.

Choose what you will do ③ O
- Avoid single-use plastic packaging
- Target the takeaway items that could end up in the ocean
- Go completely plastic free

실천할 내용을 선택하세요
- 일회용 플라스틱 포장재 피하기
- 결국 바다로 갈 수 있는 테이크아웃 물품 줄이기를 목표로 하기
- 플라스틱을 완전히 사용하지 않기

I will participate
- for 1 day   • for 1 week
- for 1 month   • from now on ④ X

참여 기간을 선택하세요
• 1일간 • 1주간 • 1개월간 • 지금부터 계속

1. ① 일회용 제품의 개발
   ③ 플라스틱 제품을 처리하는 방법
   ④ 에너지를 절약하는 간단한 방법들

해설

1. 글의 중심 소재는 플라스틱 없는 삶을 위한 캠페인(비전)이고 주제문은 첫 번째 문장으로 많은 사람들이 일회용 플라스틱을 줄이기 위한 실천에 참여한다는 내용이다. 이후, 그 활동의 시작 배경, 구체적인 실천 방법, 참여 기간 등을 설명한 뒤, 구체적인 참여 방법을 제시하고 있다. 따라서 글의 제목으로 가장 적절한 것은 ② '플라스틱 안 쓰기 도전에 참여하세요'이다. 이 글은 플라스틱 제품에 관한 처리 방법이 언급되지는 않았으므로 ③은 답이 될 수 없다.

2. ④ 마지막 단락에서 지금부터 계속 참여할 수 있다는 선택지가 있으므로 글의 내용과 일치하지 않는다.
   ① 두 번째 단락의 앞부분에서 이 비전이 2011년 서호주에서 시작되었다고 했으므로 글의 내용과 일치한다.
   ② 두 번째 단락의 뒷부분에서 지구가 우리의 편리한 생활의 일부인 플라스틱 물질로 한층 포화상태가 되는 것을 막는 데 도움이 되도록 전 세계로 확산되었다고 했으므로 글의 내용과 일치한다.
   ③ 다섯 번째 문단에서 실천할 활동에 대한 선택지를 주고 있으므로 글의 내용과 일치한다.

어휘

aim 목표로 삼다　exclude 몰아내다　waste 쓰레기
opt for ~을 선택하다　reusable 재사용 가능한　container 용기
biodegradable 생분해가 되는　material 소재
year-round 연중 내내　promote 널리 알리다
saturated with ~로 포화상태가 되는　convenience 편리
design 설계하다　dispose of ~을 버리다, 처리하다
fill up ~을 가득 채우다　bin 쓰레기통　assist 힘을 보태다
achieve 달성하다　goal 목표　takeaway 테이크아웃
end up in 결국 ~에 가게 되다　participate 참여하다

정답 1 ②　2 ④

전략 적용하기

① 글의 중심 소재와 목적을 파악하여 제목 추론하기

글의 초반부에서 중심 소재(topic)와 글의 목적을 찾아 써 보세요.

중심 소재	플라스틱 줄이기 운동
목적	플라스틱 줄이기 실천을 독려하기 위함
제목 추론	플라스틱 줄이기 운동 참여 권장

② 일치/불일치 선택지에서 지문에서 검색할 정보 찾고 선택지와 비교하기

지문에서 해당 정보가 언급된 문장을 찾고, 선택지와 비교하세요.

① O	두 번째 단락 앞부분
② O	두 번째 단락 뒷부분
③ O	다섯 번째 단락
④ X	마지막 단락: 지금부터 계속 O, 최대 한 달 X

실전 예제 01

신경향 출제유형 02 공지/안내문(Announcement)

[1~2] 다음 글을 읽고 물음에 답하시오. _{인사혁신처 2차 예시}

(A)

01 As a close neighbor, you will want to learn how to save your lake.

02 While it isn't dead yet, Lake Dimmesdale is heading toward this end. 03 So pay your respects to this beautiful body of water while it is still alive.

04 Some dedicated people are working to save it now. 05 They are having a special meeting to tell you about it. 06 Come learn what is being done and how you can help. 07 This affects your property value as well.

08 Who wants to live near a dead lake?

09 Sponsored by Central State Regional Planning Council

- Location: Green City Park Opposite Southern State College(in case of rain: College Library Room 203)
- Date: Saturday, July 6, 2024
- Time: 2:00 p.m.

10 For any questions about the meeting, please visit our website at www.planningcouncilsavelake.org or contact our office at (432) 345-6789.

1. (A)에 들어갈 윗글의 제목으로 가장 적절한 것은?

① Lake Dimmesdale Is Dying
② Praise to the Lake's Beauty
③ Cultural Value of Lake Dimmesdale
④ Significance of the Lake to the College

2. 위 안내문의 내용과 일치하지 않는 것은?

① 호수를 살리기 위해 노력하는 사람들이 있다.
② 호수를 위한 활동이 주민들의 재산에 영향을 미친다.
③ 우천 시에는 대학의 구내식당에서 회의가 열린다.
④ 웹사이트 방문이나 전화로 회의에 관해 질문할 수 있다.

정답 해설

구조분석 및 해석

(A) Dimmesdale 호수가 죽어가고 있습니다
→ 중심 소재(Topic): Dimmesdale 호수

01 가까운 이웃으로서 호수를 구하는 방법을 배우고 싶어할 것입니다.
→ 글의 목적: 호수 구하기에 주민 참여 유도

02 아직 죽지는 않았지만 Dimmesdale 호수는 끝을 향해 가고 있습니다.
03 그러니 그것이 살아 있는 동안 이 아름다운 수역을 존중해 주세요.
04 일부 헌신적인 사람들이 지금 그것을 구하기 위해 노력하고 있습니다. → ① O
05 그들은 이에 대해 알려드리기 위해 특별 회의를 하고 있습니다. 06 무엇이 행해지고 어떻게 도울 수 있는지 알아보러 오세요. 07 이는 귀하의 부동산 가치에도 영향을 미칩니다. → ② O
08 죽은 호수 근처에 살고 싶은 사람 있나요?
09 중앙주 지역 계획 위원회의 후원을 받음

- 장소: Southern 주립대학 맞은편 Green City 공원
  (비가 올 경우: 대학 도서관 203호실) → ③ O
- 날짜: 2024년 7월 6일 토요일
- 시간: 오후 2시

10 회의에 관한 질문이 있으시면, 저희 웹사이트 www.planningcouncilsavelake.org 를 방문하거나 (432) 345-6789로 저희 사무실에 연락해 주세요. → ④ O

1. ② 호수의 아름다움에 대한 찬사 ③ Dimmesdale 호수의 문화적 가치
   ④ 호수가 대학에 주는 중요성

해설

1. 글의 중심 소재는 호수이고, 두 번째 문단에서 구체적으로 이 호수가 Dimmesdale 호수이며 아직 죽지는 않았지만 죽어가고 있다고 한다. 세 번째 문단에서는 이 호수를 살리기 위한 회의에 참여하라고 권유한다. 따라서 글의 제목으로 가장 적절한 것은 ① 'Dimmesdale 호수가 죽어가고 있습니다'이다. 호수의 아름다움이나 문화적 가치, 대학에의 중요성 등은 모두 언급되지 않았다.

2. ③ <장소>에서 우천 시에는 대학 도서관에서 모인다고 하므로 글의 내용과 일치하지 않는다.
   ① 세 번째 문단 첫 문장에서 일부 헌신적인 사람들이 호수를 구하기 위해 노력하고 있다고 하므로 글의 내용과 일치한다.
   ② 세 번째 문단의 네 번째 문장에서 호수를 살리는 노력들이 부동산 가치에도 영향을 미친다고 하므로 글의 내용과 일치한다.
   ④ 마지막 문단에서 회의 관련 궁금한 사항은 웹사이트 방문이나 전화로 연락하라고 하므로 글의 내용과 일치한다.

어휘

head 가다 pay one's respect 존중하다 body of water 수역
dedicated 헌신적인 property 부동산 sponsor 후원하다
regional 지역의 council 위원회 opposite ~의 맞은편에
in case of ~의 경우에 praise 찬사 significance 중요성

정답 1 ① 2 ③

실전 예제 02

다음 글의 내용과 일치하지 않는 것은?   2025 국가직 9급

KIDS SUMMER ART CAMP 2025

Join the Stan José Art Museum (SJAM) for a week of fun! Campers get behind-the-scenes access to exhibitions, experiment with the artistic process, and show off their own work in a student exhibition.

WHO
For children ages 6-14
Each camper will receive individual artistic support, encouragement, and creative challenges unique to their learning style and skill level.

WHAT
Join SJAM for a summer art camp that pairs creative exploration of art materials and processes led by our experienced gallery teachers and studio art educators. In addition, campers will engage in interpretive art and science lessons created by Eddie Brown, a STEM consultant.

ART CAMP EXHIBITION
We invite families and caregivers to attend a weekly exhibition reception of campers' artwork to celebrate the artistic achievements of each participant.

WHEN
All camps run 9 am – 3 pm, Monday – Friday.
Monday, June 9 – Friday, July 25 (no camp the week of June 30)

① Campers will have opportunities to display their work in a student exhibition.
② The camp includes individual artistic support for children ages 6-14.
③ A STEM consultant developed interpretive art and science lessons.
④ The camp runs with no break between June 9 and July 25.

출제유형 03 인터넷 정보글(Web Document)

독해공식 03 — 신경향 지문의 유의어

- 신경향 문제는 지문 하나에 다음 유형 중 하나 혹은 두 개의 문제가 출제된다:
1. 글의 목적/제목/요지
2. 일치/불일치
3. 유의어

풀이 전략

Step 1 밑줄 친 단어 앞뒤의 내용을 꼼꼼히 읽어라!

Step 2 다의어에 주의하며 선택지 각각의 뜻을 명확히 파악하라!

Step 3 밑줄 친 단어의 문맥상 의미와 가장 가까운 유의어를 골라라!

쌤's TIP
어휘 영역을 꼼꼼히 준비한 수험생이라면 당황할 필요 없어요. 필수 어휘의 유의어를 묶어서 잘 외워두고, 다의어의 경우 품사별로 구분해서 의미를 명확히 알아두면 됩니다. (주요 다의어 - p. 82~85 참고)

적용 예시

[8~9] 다음 글을 읽고 물음에 답하시오. 2025 국가직 9급

Consular services

01 We welcome all feedback about our consular services, whether you receive them in the UK or from one of our embassies, high commissions or consulates abroad. 02 Tell us when we get things wrong so that we can **assess** and improve our services.

03 If you want to make a complaint about a consular service you have received, we want to help you resolve it as quickly as possible. 04 If you are complaining on behalf of someone else, we must have written, signed consent from that person allowing us to share their personal information with you before we can reply.

05 Send details of your complaint to our feedback contact form. 06 We will record and examine your complaint, and use the information you provide to help make sure that we offer the best possible help and support to our customers. 07 The relevant embassy, high commission or consulate will reply to you.

8. 밑줄 친 assess의 의미와 가장 가까운 것은?
① upgrade
② prolong
③ evaluate
④ render

9. 윗글의 목적으로 가장 적절한 것은?
① to give directions to the consulate
② to explain how to file complaints
③ to lay out the employment process
④ to announce the opening hours

인터넷 정보글 유형 대비

1. 발문과 제목에서 글의 중심 소재를 확인할 수 있다.

2. 홈페이지나 인터넷 검색 등으로 찾아볼 수 있는 관공서 활동, 직무 관련 소개, 유용한 앱 소개, 기업이나 단체의 목표와 특징 등 다양한 주제가 등장한다.

3. 제목과 첫 단락에서 무엇을 소개하는지(앱, 서비스, 기관, 기업 등), 핵심 메시지는 무엇인지(주요 기능, 목표, 미션, 가치 등)를 빠르게 파악하여 제목/요지 문제를 해결한다.

4. 중간~마지막 단락에서는 구체적인 특징(주요 기능, 서비스, 가치, 장점, 혜택, 사용자 대상 등), 활용 방법(사용법, 참여 방법, 적용 사례 등), 미래 계획, 기대 효과, 연락처 등이 일치/불일치 문제로 출제된다.

구조분석 및 해석

Consular services
영사관 서비스
→ 중심 소재(Topic): 영사관 서비스와 피드백
글의 목적: 영사관 서비스에 대한 불만 제기 방법 설명

⁰¹ We welcome all feedback about our consular services, whether you receive them in the UK or from one of our embassies, high commissions or consulates abroad. ⁰² Tell us when we get things wrong so that we can **assess** and improve our services.
⁰¹ 영국 내에서든 해외에 있는 대사관, 고등판무관부 또는 영사관에서든 영사관 서비스에 대한 모든 피드백을 환영합니다. ⁰² 저희가 잘못하는 경우에 알려주시면 저희가 서비스를 평가하고 개선할 수 있습니다.
→ 모든 피드백 환영 및 개선 의지

⁰³ If you want to make a complaint about a consular service you have received, we want to help you resolve it as quickly as possible. ⁰⁴ If you are complaining on behalf of someone else, we must have written, signed consent from that person allowing us to share their personal information with you before we can reply.
⁰³ 만약 받으신 영사관 서비스에 대해 불만이 있으시다면, 저희는 가능한 한 신속하게 문제를 해결해 드리려고 합니다. ⁰⁴ 다른 사람을 대신해서 불만을 제기하시는 경우에는 우리가 답변할 수 있기 전에 그들의 개인 정보를 당신과 공유하는 것을 허락하는 그분의 서명된 서면 동의서가 있어야만 합니다.
→ 불만 해결 의지 표명 및 대리 불만 제기 시 조건

⁰⁵ Send details of your complaint to our feedback contact form. ⁰⁶ We will record and examine your complaint, and use the information you provide to help make sure that we offer the best possible help and support to our customers. ⁰⁷ The relevant embassy, high commission or consulate will reply to you.
⁰⁵ 불만의 세부 사항은 피드백 문의 양식으로 보내주십시오. ⁰⁶ 저희는 당신의 불만을 기록하고 검토하며, 저희가 고객에게 가능한 최선의 도움과 지원 제공을 보장하도록 돕기 위해 당신이 제공한 정보를 사용할 것입니다. ⁰⁷ 관련된 대사관, 고등판무관부 또는 영사관이 당신에게 답변을 드릴 것입니다.
→ 불만 접수 방법과 처리 절차

① 영사관으로 가는 길을 안내하기 위해
② 불만을 제기하는 방법을 설명하기 위해
③ 채용 절차를 제시하기 위해
④ 근무 시간을 공지하기 위해

해설

9. 첫 번째 문단에서 서비스에 대한 모든 피드백을 환영한다고 하였고, 두 번째 단락에서는 서비스 불만은 신속하게 해결하겠다고 하며 타인을 대신해서 불만을 제기하는 방법에 대해서 안내한다. 세 번째 단락에서 불만의 세부 사항을 보내는 방법을 알려주고 있으므로 글의 목적으로 가장 적절한 것은 ② '불만을 제기하는 방법을 설명하기 위해'이다.

어휘

consular 영사관의   embassy 대사관
high commission 고등판무관부   consulate 영사관
assess 평가하다   improve 개선하다   complaint 불만
complain 불만을 제기하다   on behalf of ~을 대신해서
written 서면의   consent 동의서   allow 허락하다   reply 답변하다
detail 세부 사항   examine 조사하다   customer 고객
relevant 관련된   upgrade 개선하다   prolong 연장하다
evaluate 평가하다   render 만들다   directions (pl.) 길 안내
lay out 제시하다   employment 고용   process 과정
opening hours 근무 시간

정답 8 ③ 9 ②

전략 적용하기

❶ 제목과 도입부에서 글의 소재와 목적 찾기

글의 초반부에서 중심 소재(topic)과 주제를 찾아서 목적을 유추해보세요.

중심 소재	영사관 서비스와 피드백
목적	영사관 서비스에 대한 불만 제기 방법 설명

❷ 선택지에서 답 찾기

선택지를 읽으며 중심 소재(topic)에는 동그라미, idea에는 밑줄을 그어서 답을 찾으세요.

① to give ~~directions~~ to the consulate
　　언급 없음
② to explain how to file [complaints]
　　topic과 idea가 포함된 정답
③ to lay out the ~~employment process~~
　　언급 없음
④ to announce ~~the opening hours~~
　　언급 없음

실전 예제 01

[1-2] 다음 글을 읽고 물음에 답하시오. 인사혁신처 2차 예시

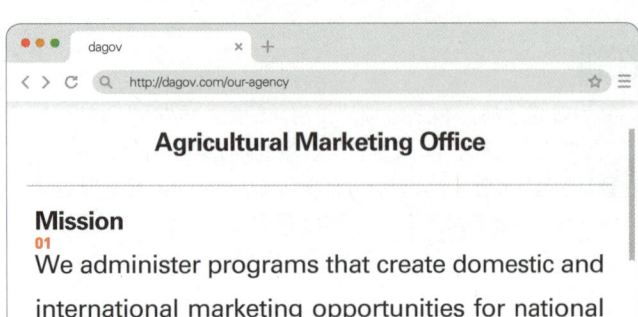

Agricultural Marketing Office

Mission
We administer programs that create domestic and international marketing opportunities for national producers of food, fiber, and specialty crops. We also provide the agriculture industry with valuable services to ensure the quality and availability of wholesome food for consumers across the country and around the world.

Vision
We facilitate the strategic marketing of national agricultural products in domestic and international markets while ensuring <u>fair</u> trading practices and promoting a competitive and efficient marketplace to the benefit of producers, traders, and consumers of national food, fiber, and specialty crops.

Core Values
- Honesty & Integrity: We expect and require complete honesty and integrity in all we do.
- Independence & Objectivity: We act independently and objectively to create trust in our programs and services.

1. 윗글에서 Agricultural Marketing Office에 관한 내용과 일치하는 것은?
   ① It creates marketing opportunities for domestic producers.
   ② It limits wholesome food consumption around the world.
   ③ It is committed to benefiting consumers over producers.
   ④ It receives mandates from other agencies before making decisions.

2. 밑줄 친 fair의 의미와 가장 가까운 것은?
   ① free   ② mutual
   ③ profitable ④ impartial

정답 해설

구조분석 및 해석

농업 마케팅 사무소
→ 중심 소재(Topic): 농업 마케팅 사무소

사명
01 저희는 식품, 섬유, 특수 작물의 국내 생산자를 위해 국내 및 국제 마케팅 기회를 창출하는 프로그램을 운영합니다. → ① O
02 또한 저희는 국내 및 전 세계 소비자들에게 건강에 좋은 식품의 품질과 가용성을 보장하기 위해 농업 산업에 귀중한 서비스를 제공합니다. → ② X

비전
03 저희는 국내 및 국제 시장에서 국가 농산물의 전략적 마케팅을 촉진하는 동시에 공정한 거래 관행을 보장하고 국내 식품, 섬유 및 특수 작물의 생산자, 상인 및 소비자에게 이익이 되도록 경쟁력 있고 효율적인 시장을 조성합니다. → ③ X

핵심 가치
- 정직과 진실성: 04 저희는 모든 일에서 완전한 정직과 진실성을 기대하고 요구합니다.
- 독립성 및 객관성: 05 저희는 저희 프로그램과 서비스에 대한 신뢰를 높이기 위해 독립적이고 객관적으로 행동합니다. → ④ X

1. ① 국내 생산자들을 위한 마케팅 기회를 창출한다.
   ② 전 세계적으로 건강에 좋은 음식 소비를 제한한다.
   ③ 생산자보다 소비자에게 이익을 주기 위해 전념하고 있다.
   ④ 결정을 내리기 전에 다른 기관으로부터 명령을 받는다.

해설
① <사명>의 첫 번째 문장에서 국내 생산자를 위해 국내 및 국제 마케팅 기회를 창출한다고 하므로 글의 내용과 일치한다.
② <사명>의 두 번째 문장에서 국내 및 전 세계 소비자들에게 건강한 식품의 품질과 가용성을 보장하기 위해 농업 산업에 귀중한 서비스를 제공한다고 하므로 글의 내용과 일치하지 않는다.
③ <비전>에서 국내 식품, 섬유 및 특수 작물의 생산자, 상인 및 소비자에게 이익이 되도록 경쟁력 있고 효율적인 시장을 조성한다고 하므로 글의 내용과 일치하지 않는다.
④ <핵심 가치>의 '독립성 및 객관성'에서 프로그램과 서비스에 대한 신뢰를 높이기 위해 독립적이고 객관적으로 행동한다고 하므로 글의 내용과 일치하지 않는다.

어휘
agricultural 농업의 administer 운영하다 domestic 국내의
specialty 특수 ensure 보증하다 availability 이용 가능성
wholesome 건강에 좋은 facilitate 촉진하다 strategic 전략적인
fair 공정한 promote 조성하다 competitive 경쟁적인
efficient 효율적인 to the benefit of ~에게 이익이 되는 fiber 섬유
integrity 진실성 objectivity 객관성 limit 제한하다
consumption 소비 committed 전념하는 benefit 이익을 주다
mandate 명령 free 자유로운 mutual 상호의
profitable 이익이 되는 impartial 공정한

정답 1 ① 2 ④

실전 예제 02

신경향 출제유형 03 인터넷 정보글(Web Document)

다음 글의 요지로 가장 적절한 것은? 인사혁신처 2차 예시

Animal Health Emergencies
01 Preparedness for animal disease outbreaks has been a top priority for the Board of Animal Health (BOAH) for decades. 02 A highly contagious animal disease event may have economically devastating effects as well as public health or food safety and security consequences.

Foreign Animal Diseases
03 A foreign animal disease (FAD) is a disease that is not currently found in the country, and could cause significant illness or death in animals or cause extensive economic harm by eliminating trading opportunities with other countries and states.

04 Several BOAH veterinarians who are trained in diagnosing FADs are available 24 hours a day to investigate suspected cases of a FAD. 05 An investigation is triggered when report of animals with clinical signs indicative of a FAD is received or when diagnostic laboratory identifies a suspicious test result.

① BOAH focuses on training veterinarians for FADs.
② BOAH's main goal is to respond to animal disease epidemic.
③ BOAH actively promotes international trade opportunities.
④ BOAH aims to lead laboratory research on the causes of FADs.

정답 해설

구조분석 및 해석

동물 건강 응급 상황
01 동물 질병 발생에 대한 대비는 수십 년 동안 동물보건위원회(BOAH)의 최우선 사항이었습니다. 02 전염성이 강한 동물 질병 발생은 공중 보건 또는 식품 안전 및 안보에 미치는 결과뿐만 아니라 경제적으로 파괴적인 영향을 미칠 수 있습니다.
→ 중심 소재(Topic): 동물보건위원회(BOAH)
　주제문: BOAH의 최우선 사항은 동물 질병 발생 대비이다.

외래 동물 질병
03 외래 동물 질병(FAD)은 현재 해당 국가에서 발견되지 않는 질병으로, 동물에게 중대한 질병이나 사망을 초래하거나 다른 국가 및 주와의 무역 기회를 없애 광범위한 경제적 피해를 초래할 수 있습니다.
→ 외래 동물 질병(FAD) 정의 및 위험성

04 FAD 진단 교육을 받은 여러 BOAH 수의사가 FAD 의심 사례를 조사하기 위해 24시간 내내 근무 중입니다. 05 FAD를 나타내는 임상 징후가 있는 동물에 대한 신고가 접수되거나 진단 실험실에서 의심스러운 검사 결과가 확인되면 조사가 촉발됩니다.
→ FAD에 대한 BOAH의 대응 노력들

① BOAH는 FAD를 위한 수의사 교육에 중점을 둔다.
② BOAH의 주요 목표는 동물 질병 유행에 대응하는 것이다.
③ BOAH는 국제 무역 기회를 적극적으로 촉진한다.
④ BOAH는 FAD의 원인에 대한 실험실 연구를 이끄는 것을 목표로 한다.

해설
글의 중심 소재는 동물보건위원회(BOAH)이고, 첫 문장이 주제문이다. 첫 문단에서 BOAH를 동물 질병 발생에 대한 대비하는 단체로 소개하고, 두 번째 문장에서 외래 동물 질병(FAD)의 정의와 위험성을 언급하고, 세 번째 단락에서 FAD를 진단하고 조사하기 위해 24시간 내내 활동한다고 한다. 즉 BOAH가 어떻게 동물 질병, 특히 외래 동물 질병에 대비하고 대응하는지에 대해 설명하는 글이다. 따라서 글의 요지로 가장 적절한 것은 ② 'BOAH의 주요 목표는 동물 질병 유행에 대응하는 것이다.'이다.

어휘
preparedness 대비　outbreak 발병　top priority 최우선 사항
decade 십 년　contagious 전염성이 강한　event 발병
economically 경제적으로　devastating 파괴적인　effect 영향
security 안보　consequence 결과　foreign 외래의　currently 현재
significant 중대한　extensive 광범위한　eliminate 제거하다
veterinarian 수의사　diagnose 진단하다　investigate 조사하다
suspected 의심되는　investigation 조사　trigger 촉발시키다
report 신고　clinical 임상의　sign 징후　indicative of ~을 나타내는
diagnostic 진단의　laboratory 실험실　identify 확인하다
suspicious 의심스러운　respond 대응하다　epidemic (질병의) 유행
actively 적극적으로

 ②

문맥상 어휘(다의어) 목록

abstract	n ① 추상 ② 발췌 ③ 개요
access	n 접근, 이용 v ~을 접근[이용]하다
account	n ① 계좌 ② 설명 v 설명하다, 원인이 되다
address	n ① 연설 ② 주소 v ① 연설하다 ② 호칭으로 부르다 ③ 처리하다
advance	n 발전 a 사전의 v ① 진보하다 ② 앞당기다
apply	v ① 적용하다 ② 신청하다 ③ 바르다
appointment	n ① 약속 ② 임명
assume	v ① 추정[가정]하다 ② 떠맡다
balance	n ① 균형 ② 잔액 ③ 저울 v 균형을 잡다
bill	n ① 청구서 ② 법안
book	n 책 v 예약하다
break	n 휴식 v 박살내다
brief	a 간략한 v 설명하다
capacity	n ① 용량 ② 능력
close	a ① 가까운 ② 거의 ~할 것 같은 v ① 닫다 ② 종료하다
complimentary	a ① 무료의 ② 칭찬하는
complete	a 완전한 v 완성하다
concern	n ① 걱정 ② 관심사 ③ 관련
consult	v ① 상의하다 ② 참고하다
contribution	n ① 공헌 ② (잡지 등의) 기고
cover	v ① 덮다 ② 다루다 ③ 보상하다 n 표지
decline	v ① 줄어들다 ② 거절하다 n 감소, 하락
deliberate	a ① 고의의 ② 신중한
determine	v ① 결심하다 ② 결정하다 ③ 알아내다, 밝히다
direct	a 직접적인 v ① 지시하다 ② 안내하다
economy	n ① 경제 ② 절약
estimate	v ① 추정하다 ② 견적을 내다 n 견적(서)
exercise	v ① 운동하다 ② (권한을) 행사하다 n ① 운동 ② 연습
extend	v ① 연장하다 ② 주다
firm	a 확고한 n 회사 v 다지다
forward	ad 앞으로 v 전달하다 a 순방향의
host	n 진행자 v 주최[개최]하다
initiative	a 처음의 n ① 계획 ② 주도권
institute	v (정책, 제도를) 도입하다, 실시하다 n 협회
issue	n ① 쟁점 ② 발행물, 호 v ① 발행[발급]하다 ② (명령, 법률 등을) 내다, 발하다
introduce	v ① 소개하다 ② 출시하다 ③ 도입하다
last	a 마지막의 v 계속되다
long	a ① 긴 ② 힘든 v 간절히 바라다
major	a ① 주요한 ② 대다수의 v 전공하다 n 전공자
match	v ① 조화를 이루다 ② 경쟁 상대가 되다 n ① 시합 ② 경쟁 상대 ③ 어울리는 것 ④ 성냥
matter	n ① 물질 ② 문제 ③ 사태 v 중요하다
mean	v 의미하다 a ① 비열한 ② 평균의 n ① 평균 ② (pl.) 수단 ③ (pl.) 재산

문맥상 어휘(다의어) 목록

measure	n ① 수단, 조치 ② 척도 v 측정하다
meet	v ① 만나다 ② 충족시키다
miss	v ① 놓치다 ② 그리워하다
note	v ① 적어두다 ② 주목하다 ③ 언급하다 n 메모
object	n ① 물건 ② 대상 ③ 목적 ④ (문법) 목적어 v 반대하다
objective	a 객관적인 n 목표
order	n ① 질서 ② 순서 ③ 명령 ④ 주문 v ① 명령하다 ② 주문하다
original	a ① 원래의 ② 독창적인 n 원본, 원형
outstanding	a ① 뛰어난 ② 미납의
own	v ① 소유하다 ② 인정하다 a 자기 자신의 n 자기 자신의 것
paper	n ① 종이 ② (pl.) 서류 ③ 논문 ④ 리포트 ⑤ 신문
park	n 공원 v 주차하다
party	n ① (사교) 파티 ② 정당 ③ 당사자(측) ④ 일행
performance	n ① 공연 ② 실적 ③ 성능
poor	a ① 가난한 ② 불쌍한 ③ 형편없는, 서툰
practice	v ① 실행하다 ② 개업하다 ③ 연습하다 n ① 실행 ② 개업 ③ 연습 ④ 관습
present	a ① 현재의 ② 참석한 v 제출하다
process	n ① 과정 ② 공정 v 처리하다
promote	v ① 홍보하다 ② 촉진하다 ③ 승진시키다
raise	v ① 올리다 ② 모금하다 n (임금) 인상
reasonable	a ① 합리적인 ② 비싸지 않은
rest	n ① 휴식 ② 나머지 v 쉬다
save	v ① 구하다 ② 저축하다 ③ (수고를) 덜다 prep ~을 제외하고
score	n ① 득점 ② 점수 ③ 악보 ④ 20(twenty)
second	n (시간) 초 a ① 두 번째의 ② 또 하나의
sentence	n ① 문장 ② 판결, 선고 v 선고하다
sign	n ① 표시 ② 간판 v 서명하다
sound	n 소리 v ~하게 들리다 a ① 건전한 ② (잠이) 깊은
spot	n ① 얼룩 ② (사건) 현장 v 발견하다
step	n ① 단계 ② 계단 ③ 조치 ④ (발)걸음
store	n 가게 v 저장하다
subject	a ① 지배받는 ② ~을 받기 쉬운 n ① 주제 ② 과목 ③ 피실험자 ④ (문법) 주어
succeed	v ① 성공하다 ② 계승하다
suggest	v ① 제안하다 ② 암시하다
tear	v ① 찢다 ② 허물다(tear down) ③ 마모시키다 n 눈물
term	n ① 용어 ② 기간 ③ 학기 ④ (pl.) 조건 ⑤ 사이[관계]
tip	n ① 팁[사례금] ② 끝 ③ 조언
tongue	n ① 혀 ② 언어
versatile	a ① 다재다능한, 다용도의 ② 변덕스러운
well	a 건강한 ad 잘 n 우물
will	v ~할 것이다 n ① 의지 ② 유언(장)
yield	v ① 산출하다 ② 양보하다 n 산출량

예문으로 확인하는 다의어

paper ⓝ ① 종이 ② (pl.) 서류 ③ 논문 ④ 리포트 ⑤ 신문

The printer ran out of paper.
프린터에 종이가 다 떨어졌다.
Please submit all the necessary papers for your application.
지원에 필요한 모든 서류를 제출해 주세요.
He presented his research paper at the conference.
그는 학회에서 자신의 연구 논문을 발표했다.
Students are required to submit their paper by tomorrow.
학생들은 내일까지 리포트를 제출해야 한다.
The headlines in today's paper are quite shocking.
오늘 신문의 헤드라인은 상당히 충격적이다.

party ⓝ ① (사교) 파티 ② 정당 ③ 당사자(측) ④ 일행

We attended a birthday party last weekend.
우리는 지난 주말에 생일 파티에 참석했다.
The political party held a rally in the town square.
정당은 마을 광장에서 집회를 열었다.
The defendant's party requested an extension.
피고 측은 시간 연장을 요청했다.
The tour guide led a party of 20 tourists through the museum.
그 관광 가이드는 관광객 20명의 일행을 박물관으로 인도했다.

book ⓝ 책 ⓥ 예약하다

She loves to read a good book before bed.
그녀는 자기 전에 좋은 책을 읽는 것을 좋아한다.
I need to book a hotel room for our trip next month.
다음 달 여행을 위해 호텔 방을 예약해야 해요.

spot ⓝ ① 얼룩 ② (사건) 현장 ⓥ 발견하다

There's a spot of paint on your shirt.
네 셔츠에 물감 얼룩이 있어.
The police arrived at the spot of the accident.
경찰이 사고 현장에 도착했다.
She spotted a rare bird in the trees.
그녀는 나무에서 희귀한 새를 한 마리 발견했다.

balance ⓝ ① 균형 ② 잔액 ⓥ 균형을 맞추다

Yoga helps me find balance in my life.
요가는 내 삶의 균형을 찾도록 도와준다.
Please check your account balance before making a purchase.
구매하기 전에 계좌 잔액을 확인하십시오.
He balanced the books at the end of the fiscal year.
그는 회계 연도 말에 장부의 균형을 맞췄다.

advance ⓝ 발전 ⓐ 사전의 ⓥ ① 진보하다 ② 앞당기다

It quickens the advance of learning.
그것은 학문의 발전을 촉진시킨다.
I made an advance reservation for dinner tonight.
오늘 저녁 식사는 사전 예약을 했다.
The technology has advanced significantly in recent years.
최근 몇 년간 기술이 크게 진보했다.
We need to advance our plans for the project.
우리는 그 프로젝트에 대한 계획을 앞당겨야 한다.

issue ⓝ ① 쟁점 ② 발행물, 호 ⓥ 발행[발급]하다

Climate change is a pressing issue for our planet.
기후 변화는 우리 지구의 시급한 쟁점이다.
The latest issue of the magazine is out now.
그 잡지의 최신호가 지금 나왔다.
The bank issued new credit cards to its customers.
그 은행은 고객들에게 새로운 신용카드를 발급했다.

promote ⓥ ① 홍보하다 ② 촉진하다 ③ 승진시키다

The company promotes its new product through various channels.
회사는 다양한 채널을 통해 신제품을 홍보한다.
They promote environmentally friendly practices.
그들은 환경 친화적인 관행을 촉진한다.
Hard work and dedication are key factors in getting promoted.
열심히 일하고 헌신하는 것이 승진하는 것의 핵심 요소이다.

address ⓝ ① 연설 ② 주소 ⓥ ① 연설하다 ② 호칭으로 부르다 ③ 처리하다

The president's address was televised.
대통령의 연설은 텔레비전에 중계되었다.
What is your email address?
이메일 주소가 어떻게 되죠?
The mayor addressed the crowd.
시장은 군중들에게 연설했다.
How should one address the Mayor?
시장은 어떻게[어떠한 경칭으로] 불러야 합니까?
I need to address this issue with my supervisor.
나는 이 문제를 상사와 처리해야 한다.

예문으로 확인하는 다의어

apply　v ① 적용하다 ② 신청하다 ③ 바르다

The rule doesn't apply to everyone; there are exceptions.
그 규칙은 모든 사람에게 적용되는 것은 아니다; 예외가 있다.
He applied for scholarships to help pay for college.
그는 대학 학비를 마련하기 위해 장학금을 신청했다.
Apply the cream to your face and neck.
크림을 얼굴과 목에 바르세요.

cover　v ① 덮다 ② 다루다 ③ 보상하다　n 표지

Please cover the cake with plastic wrap.
케이크를 비닐 랩으로 덮으세요.
The news report covered the recent political crisis.
그 뉴스 보도는 최근의 정치적 위기를 다뤘다.
The insurance policy covers the cost of any damages.
보험은 모든 손해에 대한 비용을 보상한다.
Her face was on the cover of every magazine.
그녀의 얼굴이 모든 잡지의 표지에 나와 있었다.

outstanding　a ① 뛰어난 ② 미납의

She has an outstanding talent for playing the piano.
그녀는 피아노 연주에 뛰어난 재능을 가지고 있다.
There is still an outstanding balance on your account.
귀하의 계좌에는 여전히 미납된 잔액이 있습니다.

close　a ① 가까운 ② 거의 ~할 것 같은
　　　　 n ① 닫다 ② 종료하다

The store is close to our house.
매장이 우리 집에서 가깝다.
The negotiations are close to reaching a settlement.
협상이 곧 타결될 것 같다.
The door was closed.
문이 닫혀있었다.
It is time to close this conversation.
이 대화를 종료할 때이다.

sentence　n ① 문장 ② 판결, 선고　v 선고하다

The first sentence of the book caught my attention.
책의 첫 문장이 내 눈에 들어왔다.
The judge handed down a harsh sentence to the criminal.
판사는 범인에게 가혹한 판결을 내렸다.
The man was sentenced to death.
그 남자는 사형을 선고받았다.

host　n 진행자　v 주최[개최]하다

Ellen is the host of a popular talk show.
엘렌은 인기 있는 토크쇼의 진행자이다.
The company will host its annual conference next month.
그 회사는 다음 달 연례 총회를 개최할 예정이다.

decline　v ① 줄어들다 ② 거절하다　n 감소, 하락

Support for the party continues to decline.
당에 대한 지지가 계속 줄어들고 있다.
I declined the offer to join the committee.
나는 위원회에 참여하라는 제안을 거절했다.
There has been a decline in the stock market.
증시 하락이 있었다.

assume　v ① 추정[가정]하다 ② 떠맡다

Don't assume he knows what you're talking about.
그가 네가 무슨 말을 하는지 안다고 가정하지 마라.
She assumed responsibility for the project's success.
그녀는 그 프로젝트의 성공에 대한 책임을 맡았다.

forward　ad 앞으로　v 전달하다　a 순방향의

The student came forward when named.
그 학생은 이름이 불리자 앞으로 나왔다.
Please forward this email to the appropriate department.
이 이메일을 해당 부서로 전달해 주십시오.
The forward button allows you to skip to the next track.
순방향 버튼을 사용하면 다음 트랙으로 건너뛸 수 있다.

long　a ① 긴 ② 힘든　v 간절히 바라다

She has long hair.
그녀는 긴 머리를 하고 있다.
I've had a long day at work; I'm exhausted.
나는 회사에서 힘든 하루를 보냈다; 나는 지쳤다.
She has always longed for a brother.
그녀는 항상 남동생을 갖게 되길 간절히 바랐다.

종합문제 01

Chapter 01 실용문 이해하기

[1~2] 다음 글을 읽고 물음에 답하시오.

To: Riverview Environmental Services Department
From: Mason Harper
Date: October 1
Subject: Illegal Trash Dumping at the Park's Edge

To whom it may concern,

01 I hope this message finds you well. 02 I'm reaching out to address a concern affecting our community's well-being — the issue of illegal trash dumping at the park's edge.

03 This problem not only compromises the beauty of our shared spaces but, by extension, also poses environmental risks. 04 I think your department should take proper action after **deliberate** analysis to deal with this problem. 05 Enhanced surveillance, more visible no-dumping signs, and accessible disposal options could be effective solutions.

06 Thank you for considering this serious matter in advance. 07 I believe that you will design and implement effective measures.

Sincerely,
Mason Harper

1. 윗글의 목적으로 가장 적절한 것은?
① 공원 환경 개선을 위한 공사에 대해 양해를 구하려고
② 주변의 무단 쓰레기 폐기에 대한 조치를 요청하려고
③ 낙후된 공원 시설에 대한 안전 점검을 요구하려고
④ 공원 변두리의 야간 순찰 강화를 요청하려고

2. 밑줄 친 "deliberate"의 의미와 가장 가까운 것은?
① intentional
② confident
③ thoughtful
④ nervous

정답 해설

구조분석 및 해석

수신인: 리버뷰 환경 서비스 부서
보낸 사람: Mason Harper
일시: 10월 1일
주제: 공원 주변 불법 쓰레기 투기 → 중심 소재(Topic)

관계자님께,

01 안녕하세요. 02 공원 주변의 불법 쓰레기 투기 문제와 같은 우리 지역 사회의 안녕에 영향을 미치는 문제를 해결하기 위해 연락드립니다.
→ 글의 목적: 공원 주변 불법 쓰레기 투기 문제 해결 요청

03 이 문제는 우리가 공유하는 공간의 아름다움을 손상시킬 뿐만 아니라 더 나아가 환경에 대한 위험도 제기합니다. 04 저는 귀 부서가 이 문제를 해결하기 위해 신중한 분석을 한 뒤에 적절한 조치를 취해야 한다고 생각합니다. 05 강화된 감시, 더 눈에 띄는 투기 금지 안내판, 그리고 이용 가능한 폐기 방법들이 효과적인 해결책이 될 수 있습니다.
→ 세부 사항: 문제의 심각성 지적과 다양한 해결 방법 제안

06 이렇게 중대한 문제를 고려해 주실 것에 대해 미리 감사드립니다. 07 여러분이 효과적인 대책을 고안해서 시행할 것이라고 믿습니다.
→ 마무리: 문제 해결에 대한 기대감 표출

진심을 담아,
Mason Harper

해설

1. 이메일은 제목이 중심 소재이고, 일반적으로 글의 목적을 서두에 밝히는 두괄식 구조를 취한다. 제목이 '공원 주변 불법 쓰레기 투기'이고, 두 번째 문장에서 '공원 주변의 불법 쓰레기 투기 문제와 같은 우리 지역사회의 안녕에 영향을 미치는 문제를 해결하기 위해'라고 했다. 따라서 글의 목적으로 가장 적절한 것은 ② '주변의 무단 쓰레기 폐기에 대한 조치를 요청하려고'가 가장 적절하다. 공사, 안전 점검, 순찰 등은 언급되지 않아 답이 될 수 없다.

2. 이 글의 deliberate는 문맥상 '신중한'을 의미하므로 ③이 가장 가까운 뜻이다. deliberate에는 '신중한, 의도적인' 등의 뜻이 있다.

어휘

illegal 불법의 dump 투기하다 edge 가장자리, 주변
reach 연락하다 address 해결하다 concern 우려
affect 영향을 미치다 compromise 손상시키다
by extension 더 나아가 deliberate 신중한 analysis 분석
enhance 강화하다 surveillance 감시 visible 눈에 띄는
accessible 이용 가능한 disposal 폐기 implement 시행하다
measure 조치 intentional 의도적인 confident 확신하는
thoughtful 신중한 nervous 불안해하는

정답 1 ② 2 ③

종합문제 02

[1~2] 다음 글을 읽고 물음에 답하시오.

(A)

We're pleased to announce the upcoming City Harbour Festival, an annual event that brings our diverse community together to celebrate our shared heritage, culture, and local talent. Mark your calendars and join us for an exciting weekend!

Details
- **Dates:** Friday, June 16 – Sunday, June 18
- **Times:** 10:00 a.m. – 8:00 p.m. (Friday & Saturday)
  10:00 a.m. – 6:00 p.m. (Sunday)
- **Location:** City Harbour Park, Main Street, and surrounding areas

Highlights
- **Live Performances**
Enjoy a variety of live music, dance, and theatrical performances on multiple stages throughout the festival grounds.
- **Food Trucks**
Have a feast with a wide selection of food trucks offering diverse and delicious cuisines, as well as free sample tastings.

For the full schedule of events and activities, please visit our website at www.cityharbourfestival.org or contact the Festival Office at (552) 234-5678.

1. (A)에 들어갈 윗글의 제목으로 가장 적절한 것은?
① Make Safety Regulations for Your Community
② Celebrate Our Vibrant Community Events
③ Plan Your Exciting Maritime Experience
④ Recreate Our City's Heritage

2. City Harbour Festival에 관한 윗글의 내용과 일치하지 않는 것은?
① 일 년에 한 번 개최된다.
② 일요일에는 오후 6시까지 열린다.
③ 주요 행사로 무료 요리 강습이 진행된다.
④ 웹사이트나 전화 문의를 통해 행사 일정을 알 수 있다.

종합문제 03

다음 글의 내용과 일치하는 것은? 2025 국가직 9급

Department of Health and Human Services

Mission Statement
The mission of the Department of Health and Human Services (HHS) is to enhance the health and well-being of all individuals in the nation, by providing for effective health and human services and by fostering sound, sustained advances in the sciences underlying medicine, public health, and social services.

Organizational Structure
HHS accomplishes its mission through programs and initiatives that cover a wide spectrum of activities. Eleven operating divisions, including eight agencies in the Public Health Service and three human services agencies, administer HHS's programs. While HHS is a domestic agency working to protect and promote the health and well-being of the American people, the interconnectedness of our world requires that HHS engage globally to fulfill its mission.

Cross-Agency Collaborations
Improving health and human services outcomes cannot be achieved by the Department on its own; collaborations are critical to achieve our goals and objectives. HHS collaborates closely with other federal departments and agencies on cross-cutting topics.

① HHS aims to improve the health and well-being of low-income families only.
② HHS's programs are administered by the eleven operating divisions.
③ HHS does not work with foreign countries to complete its mission.
④ HHS acts independently from other federal departments and agencies to achieve its goals.

구조분석 및 해석

보건복지부 → 중심 소재(Topic)

사명 선언문
01 보건복지부(HHS)의 사명은 효과적인 보건 및 복지 서비스를 제공하고, 의학·공중 보건·사회복지를 뒷받침하는 과학 분야에서 건전하고 지속적인 발전을 촉진함으로써, 국민 모두의 건강과 복지를 증진하는 것이다. → ① X

조직 구조
02 HHS는 매우 폭넓은 활동을 아우르는 프로그램과 정책을 통해 이 사명을 수행한다. 03 공공보건국 소속의 8개 기관과 3개의 복지 관련 기관을 포함한 11개의 운영 부서가 HHS의 프로그램을 집행한다. → ② O
04 HHS는 미국 국민의 건강과 복지를 보호하고 증진하기 위해 활동하는 국내 부처이지만, 세계가 서로 연결되어 있기 때문에 그 사명을 수행하기 위해 국제적으로 참여하는 것이 필요하다. → ③ X

부처 간 협력
05 보건과 복지 서비스의 성과를 개선하는 것은 HHS 혼자만으로 달성할 수 없다; 목표와 목적을 이루기 위해서는 협력이 필수적이다. → ④ X
06 HHS는 다양한 이해관계를 아우르는 주제에 관해 다른 연방 부처 및 기관들과 밀접하게 협력한다.

① HHS는 저소득 가정만의 건강과 복지를 개선하는 것을 목표로 한다.
② HHS의 프로그램은 11개의 운영 부서에 의해 집행된다.
③ HHS는 자신의 사명을 완수하기 위해 외국과 협력하지 않는다.
④ HHS는 목표를 달성하기 위해 다른 연방 부처 및 기관들과 독립적으로 행동한다.

해설
② 두 번째 문단의 두 번째 문장에서 11개의 운영 부서가 HHS의 프로그램을 집행한다고 했으므로 글의 내용과 일치한다.
① 첫 번째 문단에서 HHS의 사명이 국민 모두의 건강과 복지를 증진하는 것이라고 했으므로 글의 내용과 일치하지 않는다.
③ 두 번째 문단의 마지막 문장에서 HHS는 그 사명을 수행하기 위해 국제적으로 참여한다고 했으므로 글의 내용과 일치하지 않는다.
④ 세 번째 문단에서 목적을 이루기 위해서는 협력이 필수이고 HHS는 다른 연방 부처 및 기관들과 밀접하게 협력한다고 했으므로 글의 내용과 일치하지 않는다.

어휘
statement 선언문 enhance 증진하다 foster 촉진하다
sustained 지속적인 underlie 뒷받침하다 organizational 조직의
accomplish 수행하다 initiative 정책 administer 집행하다
domestic 국내의 interconnectedness 서로 연결됨
engage 참여하다 fulfill 수행하다 collaboration 협력
improve 개선하다 outcome 성과 achieve 달성하다
objective 목적 federal 연방의
cross-cutting 다양한 이해관계를 아우르는

정답 ②

Enter-K 앱에 관한 다음 글의 내용과 일치하지 않는 것은?

인사혁신처 1차 예시

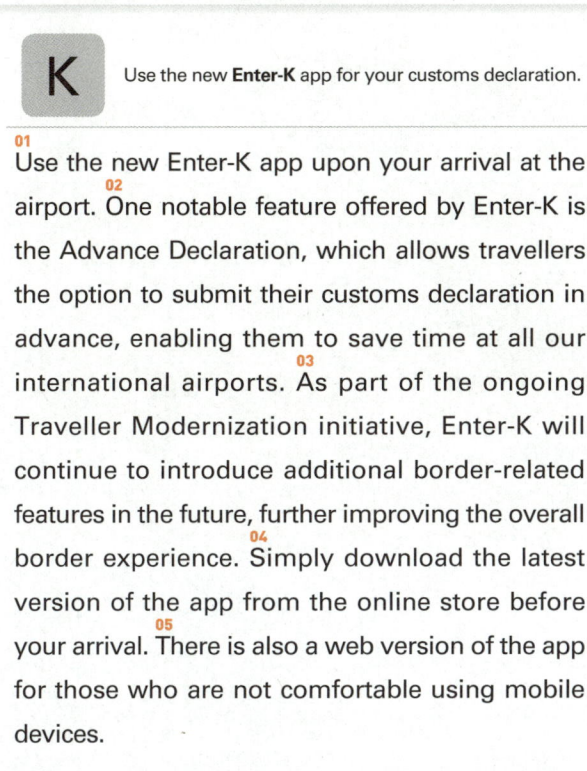

Use the new Enter-K app upon your arrival at the airport. One notable feature offered by Enter-K is the Advance Declaration, which allows travellers the option to submit their customs declaration in advance, enabling them to save time at all our international airports. As part of the ongoing Traveller Modernization initiative, Enter-K will continue to introduce additional border-related features in the future, further improving the overall border experience. Simply download the latest version of the app from the online store before your arrival. There is also a web version of the app for those who are not comfortable using mobile devices.

① It allows travellers to declare customs in advance.
② More features will be added later.
③ Travellers can download it from the online store.
④ It only works on personal mobile devices.

Chapter 02
글의 주제 파악하기

출제유형 04	**주제, 제목, 요지, 주장 – 두괄식**
	독해공식 04　두괄식

출제유형 04	**주제, 제목, 요지, 주장 – 비판/반박**
	독해공식 05　비판/반박

출제유형 04	**주제, 제목, 요지, 주장 – 미괄식**
	독해공식 06　미괄식

출제유형 04	**주제, 제목, 요지, 주장 – 단락 종합**
	독해공식 07　단락 종합

출제유형 04	**주제, 제목, 요지, 주장 – 주제문 없음**
	독해공식 08　주제문 없음

출제유형 05	**빈칸 완성 – 전반부 빈칸**
	독해공식 09　전반부 빈칸

출제유형 05	**빈칸 완성 – 중간 빈칸**
	독해공식 10　중간 빈칸

출제유형 05	**빈칸 완성 – 후반부 빈칸**
	독해공식 11　후반부 빈칸

출제유형 05	**빈칸 완성 – 연결어 넣기**
	독해공식 12　연결어 넣기

출제유형 06	**문장 제거**
	독해공식 13　문장 제거

출제유형 04 주제, 제목, 요지, 주장 – 두괄식

독해공식 04 두괄식

- 글의 초반부에 주제문이 제시되는 구조로서 가장 자주 출제되는 문제 유형이다.

풀이 전략

Step 1 중심 소재(topic)와 핵심 의견(idea)이 포함된 주제문을 파악하라!

Step 2 나머지 부분을 훑어 읽으며 주제문이 뒷받침되는지 확인하라!

Step 3 중심 소재(topic)와 핵심 의견(idea)이 결합된 선택지를 골라라!

쌤's TIP
선택지를 읽으며 중심 소재(topic)에는 동그라미, 핵심 의견(idea)에는 밑줄을 그어서 답을 찾으세요.

적용 예시

다음 글의 주제로 가장 적절한 것은? 인사혁신처 2차 예시

The International Space Station, orbiting some 240 miles above the planet, is about to join the effort to monitor the world's wildlife — and to revolutionize the science of animal tracking. A large antenna and other equipment aboard the orbiting outpost, installed by spacewalking Russian astronauts in 2018, are being tested and will become fully operational this summer. The system will relay a much wider range of data than previous tracking technologies, logging not just an animal's location but also its physiology and environment. This will assist scientists, conservationists and others whose work requires close monitoring of wildlife on the move and provide much more detailed information on the health of the world's ecosystems.

① evaluation of sustainability of global ecosystems
② successful training projects of Russian astronauts
③ animal experiments conducted in the orbiting outpost
④ innovative wildlife monitoring from the space station

두괄식 유형 More

1 첫 두 문장(주제문) 이후에 역접의 연결사가 나오지 않으면 두괄식 구조다!

2 개념 정의나 예시 등으로 글이 시작되면, 그 뒤에 글쓴이의 핵심 주장이 담긴 주제문이 나오는 중괄식 구조일 가능성이 높다.

3 주제문이 파악되었다면 일단 선택지에 정답이 있는지 확인해서 시간을 절약한다.

구조분석 및 해석

01
The International Space Station, orbiting some 240 miles above the planet, is about to join the effort to monitor the world's wildlife — and to revolutionize the science of animal tracking.
01 지구에서 약 240마일 상공을 돌고 있는 국제우주정거장(ISS)가 세계 야생동물을 관찰하는 활동에 합류할 것이고 — 동물 추적 과학에 혁신을 일으킬 것이다.

→ 중심 소재(Topic): ISS의 야생동물 관찰
주제문: ISS가 야생동물 관찰에 혁신을 가져올 것이다.

02
A large antenna and other equipment aboard the orbiting outpost, installed by spacewalking Russian astronauts in 2018, are being tested and will become fully operational this summer. **03** The system will relay a much wider range of data than previous tracking technologies, logging not just an animal's location but also its physiology and environment.
02 2018년 러시아 우주비행사들이 우주 유영을 해서 설치되어 궤도 전초 기지에 탑재된 대형 안테나와 기타 장비가 현재 테스트 중이며 올해 여름에 본격적으로 운영될 예정이다. 03 이 시스템은 기존의 추적 기술보다 훨씬 더 다양한 데이터를 전달할 것이며, 동물의 위치뿐만 아니라 생리적 상태와 환경까지 기록한다.

→ 뒷받침 1: 기술적 기반: 장비 설치 및 데이터 기능

04
This will assist scientists, conservationists and others whose work requires close monitoring of wildlife on the move and provide much more detailed information on the health of the world's ecosystems.
04 이는 이동 중인 야생동물을 면밀히 관찰하는 것을 요구하는 일을 가진 과학자, 환경 보호 활동가 등을 지원하고, 전 세계 생태계 건강 상태에 대한 더 정밀한 데이터를 제공할 것이다.

→ 뒷받침 2: 기대 효과: 연구자 지원과 생태계 건강 정보 제공

① 전 세계 생태계의 지속 가능성 평가
② 러시아 우주비행사의 성공적인 훈련 프로젝트
③ 궤도 전초 기지에서 수행된 동물 실험
④ 우주정거장에서 이루어지는 혁신적인 야생동물 관찰

해설

첫 문장이 글의 주제문으로 ISS가 세계 야생동물 관찰에 참여하고 동물 추적 과학을 혁신할 것이라는 내용을 담고 있다. 이후의 문장들은 이를 구체적으로 뒷받침하는 역할을 하는데, 두 번째 문장은 ISS에 설치된 장비와 그 운영 계획을 설명하며, 세 번째 문장은 이 시스템이 기존 기술보다 더 많은 데이터를 제공할 것임을 강조한다. 따라서, 핵심적인 소재와 개념인 '야생동물 관찰'과 '혁신적인 과학'을 포함하는 ④ '우주정거장에서 이루어지는 혁신적인 야생동물 관찰'이 글의 제목으로 가장 적절한다.

어휘

International Space Station (ISS) 국제우주정거장
orbit 궤도를 돌다 monitor 관찰하다 wildlife 야생동물
revolutionize 혁신하다 tracking 추적 equipment 장비
aboard 탑재된 outpost 전초 기지 install 설치하다
spacewalking 우주 유영(우주선 밖에서 활동하는 것)
operational 작동 가능한 relay 전달하다
a wide range of 다양한 physiology 생리적 상태
conservationist 환경 보호 활동가 close monitoring 면밀한 감시
on the move 이동 중인 ecosystem 생태계

정답 ④

전략 적용하기

❶ 초반부에서 중심 소재와 주제문 찾기

글의 초반부에서 중심 소재(topic)와 주제문을 찾아 써 보세요.

중심 소재	ISS의 야생동물 관찰
주제문	ISS가 야생동물 관찰에 혁신을 가져올 것이다.

❷ 선택지에서 답 찾기

선택지를 읽으며 topic에는 동그라미, idea에는 밑줄을 그어서 답을 찾으세요.

① ~~evaluation of sustainability~~ of global ecosystems
  언급 없음
② ~~successful training projects~~ of Russian astronauts 언급 없음
③ ~~animal experiments~~ conducted in the orbiting outpost 언급 없음
④ innovative wildlife monitoring from the space station 주제문과 일치

실전 예제 01

출제 유형 04 주제, 제목, 요지, 주장 - 두괄식

다음 글의 주제로 가장 적절한 것은? 〈2024 지방직 9급〉

In recent years Latin America has made huge strides in exploiting its incredible wind, solar, geothermal and biofuel energy resources. Latin America's electricity sector has already begun to gradually decrease its dependence on oil. Latin America is expected to almost double its electricity output between 2015 and 2040. Practically none of Latin America's new large-scale power plants will be oil-fueled, which opens up the field for different technologies. Countries in Central America and the Caribbean, which traditionally imported oil, were the first to move away from oil-based power plants, after suffering a decade of high and volatile prices at the start of the century.

① booming oil industry in Latin America
② declining electricity business in Latin America
③ advancement of renewable energy in Latin America
④ aggressive exploitation of oil-based resources in Latin America

---

정답 해설

구조분석 및 해석

01 최근에 라틴아메리카는 엄청난 풍력, 태양열, 지열, 그리고 바이오연료 에너지 자원 개발에서 커다란 발전을 이루었다.
→ 중심 소재(Topic): 라틴아메리카의 신재생 에너지 개발
주제문: 라틴아메리카가 신재생 에너지 개발에서 큰 발전을 했다.

02 라틴아메리카의 전력 부문은 석유에 대한 의존을 이미 점차 줄이기 시작했다. **03** 라틴아메리카는 2015년에서 2040년 사이에 전력 생산을 거의 두 배로 늘릴 것이라고 예상된다. **04** 실지로 라틴아메리카의 새로운 대규모 발전소 중 어디에서도 석유를 연료로 쓰지 않을 것이며, 이는 다양한 기술을 위한 장을 열어준다.
→ 뒷받침 1: 결과: 석유 의존 감소와 탈석유화

05 전통적으로 석유를 수입하던 중앙아메리카와 카리브해 지역의 국가들은 이 세기 초에 10년 동안의 높고 변동이 심한 석유 가격에 시달리고 난 뒤, 석유 기반의 발전소를 최초로 벗어나게 되었다.
→ 뒷받침 2: 배경 및 사례: 석유 가격 충격과 탈석유 흐름

① 라틴아메리카의 급속히 발전하는 석유 산업
② 라틴아메리카의 쇠퇴하는 전력 산업
③ 라틴아메리카의 신재생 에너지 발전
④ 라틴아메리카의 석유 기반 자원의 적극적인 개발

해설

글의 중심 소재는 라틴아메리카의 신재생 에너지 개발이고 주제문은 첫 번째 문장으로 라틴아메리카가 여러 가지 신재생 에너지 개발에서 엄청난 발전을 이뤘다고 설명한다. 이후 전력 부문을 비롯한 대규모 발전소에서 석유 의존도가 극히 낮아졌다고 부연 설명한 뒤, 마지막 문장에서 그 원인은 높고 변동이 심한 석유 가격에 시달렸기 때문이라고 말한다. 따라서 글의 주제로 가장 적절한 것은 ③ '라틴아메리카의 신재생 에너지 발전'이다.

어휘

stride 발전 exploit (산업용으로) 개발하다 incredible 엄청난
geothermal 지열의 biofuel 바이오연료 resources 자원
electricity 전력 sector 부문 gradually 점차 decrease 줄이다
dependence 의존 double 두 배로 늘리다 output 생산
practically 실제로 large-scale 대규모의 power plant 발전소
oil-fueled 석유를 연료로 쓰는 traditionally 전통적으로
import 수입하다 suffer 시달리다 volatile 변동이 심한
booming 급속히 발전하는 declining 쇠퇴하는 advancement 발전
renewable energy 신재생 에너지 aggressive 적극적인
exploitation 개발

정답 ③

실전 예제 02

출제 유형 04 주제, 제목, 요지, 주장 – 두괄식

다음 글의 주제로 가장 적절한 것은?

2025 국가직 9급

Young people are fast learners. They are energetic, active and have a 'can-do' mentality. Given the support and right opportunities, they can take the lead in their own development as well as the development of their communities. In many developing countries, agriculture is still the largest employer and young farmers play an important role in ensuring food security for future generations. They face many challenges, however. For example, it is very difficult to own land or get a loan if you do not have a house — which, if you are young and only just starting your career, is often not yet possible. Working in agriculture requires substantial and long-term investments. It is also quite risky and uncertain, because it relies heavily on the climate: flooding, drought and storms can damage and destroy farmers' crops and affect livestock.

① the economic advantages of working in the agricultural sector
② the importance of technology in modern farming practices
③ the roles of young farmers and the challenges they face
④ young people's efforts for urban development

정답 해설

구조분석 및 해석

01 젊은 사람들은 빠른 학습자들이다. **02** 그들은 활기차고, 적극적이고, '할 수 있다'라는 사고방식을 가지고 있다. **03** 지원과 적절한 기회가 주어진다면, 그들은 사회의 발전에서는 물론 자신의 발전에서도 주도적인 역할을 할 수 있다. **04** 많은 개발도상국에서 농업은 여전히 가장 큰 고용 주체이고 젊은 농부들은 미래 세대를 위한 식량 안전을 보장하는 데 있어서 중요한 역할을 한다.

→ 중심 소재(Topic): 젊은 사람들

05 그러나 그들은 많은 어려움에 직면한다.

→ 주제문: 젊은 농부들이 어려움을 겪는다.

06 예를 들어, 집이 없다면 토지를 소유하거나 대출받기가 매우 어렵다 — 젊거나 자기 일을 막 시작하는 경우라면 이것은 종종 아직은 가능하지 않다. **07** 농업 분야에서 일하는 것은 상당하고 장기적인 투자가 필요하다. **08** 이것은 또한 상당히 위험하고 불확실한데 이것이 기후에 매우 의존하기 때문이다: 홍수, 가뭄, 폭풍은 농부의 작물을 손상하여 파괴할 수 있고, 가축에게 영향을 줄 수 있다.

→ 뒷받침: 어려움에 대한 예시
예시1: 자산 부족
예시2: 장기 투자 부담
예시3: 기후 의존성

① 농업 분야에서 일하는 경제적인 장점들
② 현대적 농업 관행에서의 기술의 중요성
③ 젊은 농부의 역할과 그들이 직면한 어려움
④ 도시 개발에 대한 젊은 사람들의 노력

해설

중심 소재는 젊은 사람들(농부들)이고 주제문은 다섯 번째 문장으로 젊은 농부들이 어려움에 직면한다는 내용의 글이다. 주제문 앞에서 젊은 농부들이 식량 안전 보장에 있어 중요한 역할을 한다고 말하고 주제문에서는 그들이 어려움에 직면한다고 말한다. 이후 그 어려움에 관해 설명하고 있다. 따라서 이 글의 주제로 가장 적절한 것은 ③ '젊은 농부의 역할과 그들이 직면한 어려움'이다.

어휘

energetic 활기찬 active 적극적인 mentality 사고방식
take the lead 주도하다 play a role in ~에서 역할을 하다
food security 식량 안전 face 직면하다 challenge 어려움
own 소유하다 loan 대출 career 일 require 필요하다
substantial 상당한 investment 투자 risky 위험한
uncertain 불확실한 drought 가뭄 crop 작물 livestock 가축
advantage 장점 urban 도시의

정답 ③

출제유형 04 주제, 제목, 요지, 주장 – 비판/반박

독해공식 05 비판/반박

- 첫 문장이 일반적인 통념으로 시작되고, 이를 반박하는 구조의 문제 유형이다.

풀이 전략

- **Step 1** 중심 소재(topic)를 찾아라!
- **Step 2** 반박 신호어 다음에서 주제문을 찾아라!
- **Step 3** 중심 소재(topic)와 핵심 의견(idea)이 결합된 선택지를 골라라!

쌤's TIP
통념을 제시할 때 쓰는 표현들을 미리 알아두어 통념을 주제문으로 착각하지 않도록 주의해야 합니다. 또한 주제문을 보여주는 비판/반박의 신호어를 주의 깊게 살펴야 합니다.

적용 예시

다음 글의 주제로 가장 적절한 것은? 2024 국가직 9급

> It seems incredible that one man could be responsible for opening our eyes to an entire culture, but until British archaeologist Arthur Evans successfully excavated the ruins of the palace of Knossos on the island of Crete, the great Minoan culture of the Mediterranean was more legend than fact. Indeed its most famed resident was a creature of mythology: the half-man, half-bull Minotaur, said to have lived under the palace of mythical King Minos. But as Evans proved, this realm was no myth. In a series of excavations in the early years of the 20th century, Evans found a trove of artifacts from the Minoan age, which reached its height from 1900 to 1450 B.C.: jewelry, carvings, pottery, altars shaped like bull's horns, and wall paintings showing Minoan life.

① King Minos' successful excavations
② Appreciating artifacts from the Minoan age
③ Magnificence of the palace on the island of Crete
④ Bringing the Minoan culture to the realm of reality

비판/반박 유형의 어휘

1 통념을 제시할 때 쓰는 표현

People/They believe ~
Many/Most people think/say ~
People say ~
For many people,
For a long time ~
In the past ~

2 비판/반박의 신호어(연결어)

But	However	Yet
Still	Nevertheless	On the contrary
Indeed	In fact	In effect

정답 해설

구조분석 및 해석

01
It seems incredible that one man could be responsible for opening our eyes to an entire culture, but until British archaeologist Arthur Evans successfully excavated the ruins of the palace of Knossos on the island of Crete, the great Minoan culture of the Mediterranean was more legend than fact.
01 한 사람으로 인해 우리가 하나의 문화 전체에 눈뜨게 되는 것은 믿을 수 없는 일처럼 보이지만, 영국의 고고학자 Arthur Evans가 크레타섬의 크노소스 궁전의 유적지를 성공적으로 발굴하기 전까지, 지중해의 위대한 미노스 문명은 사실이 아닌 전설이었다.
→ 중심 소재(Topic): 미노스 문명

02
Indeed its most famed resident was a creature of mythology: the half-man, half-bull Minotaur, said to have lived under the palace of mythical King Minos.
02 사실 크레타섬의 가장 유명한 거주자는 신화 속의 동물이었다: 신화에서 미노스 왕의 궁전 밑에서 살았다고 전해지는, 반은 사람이고 반은 황소인 미노타우로스였다.
→ 통념 제시: 미노스 문명은 전설/신화이다.

03
But as Evans proved, this realm was no myth.
03 하지만 Evans가 입증했듯이, 그 왕국은 신화가 아니었다.
→ 역접의 신호어: But
주제문: 미노스 문명은 신화가 아니다.

04
In a series of excavations in the early years of the 20th century, Evans found a trove of artifacts from the Minoan age, which reached its height from 1900 to 1450 B.C.: jewelry, carvings, pottery, altars shaped like bull's horns, and wall paintings showing Minoan life.
04 20세기 초반에 이루어진 일련의 발굴에서, Evans는 미노스 시대의 문화 유물의 보고를 발견했는데, 이것은 기원전 1900년부터 1450년까지 절정에 달했다: 보석, 조각, 도기, 황소 뿔 모양의 제단, 그리고 미노스의 삶을 보여주는 벽화.
→ 뒷받침: 미노스 문명이 신화가 아니라는 실제적 발굴 증거 제시

① 미노스 왕의 성공적인 발굴
② 미노스 시대의 문화 유물의 진가를 알아보기
③ 크레타섬에 있는 궁전의 장엄함
④ 미노스 문명을 실재의 영역으로 가져오기

해설
글의 중심 소재는 미노스 문명이고 주제문은 역접의 접속사 But으로 시작되는 세 번째 문장으로, 크레타섬의 미노스 문명이 전설이 아니라고 주장한다. 처음 두 문장에서 그동안의 통념, 즉 미노스 문명이 전설 혹은 신화로 여겨졌다고 설명한 뒤, 세 번째 문장에서 Evans가 통념을 반박하며 미노스 문명이 사실임을 입증했다고 말한다. 따라서 글의 주제로 적절한 것은 ④ '미노스 문명을 실재의 영역으로 가져오기'이다.

어휘
incredible 믿을 수 없는 be responsible for ~의 원인이 되다
entire 전체의 archaeologist 고고학자 excavate 발굴하다
ruins 유적지 Mediterranean 지중해 legend 전설
famed 유명한 resident 거주자 creature 동물
mythology 신화 mythical 신화의 prove 입증하다
realm 왕국 myth 신화 excavation 발굴 trove 보고
artifact 문화 유물 carving 조각 pottery 도기 altar 제단
horn 뿔 appreciate 진가를 알아보다 magnificence 장엄함
reality 실재

정답 ④

전략 적용하기

❶ 첫 문장 이후에 비판/반박 신호어가 나오는지 확인하기

첫 문장에서 중심 소재(topic)를 찾고, 신호어 다음의 주제문을 찾으세요.

중심 소재	미노스 문명
신호어	But
주제문	미노스 문명은 전설/신화가 아니다.

❷ 선택지에서 답 찾기

선택지를 읽으며 중심 소재(topic)에는 동그라미, idea에는 밑줄을 그어서 답을 찾으세요.

① King Minos' successful excavations
   언급된 내용을 이용한 오답
② Appreciating artifacts from the Minoan age
   언급된 내용을 이용한 오답
③ Magnificence of the palace on the island of Crete 언급된 내용을 이용한 오답
④ Bringing the Minoan culture to the realm of reality
   주제문과 일치

실전 예제 01

출제 유형 04 주제, 제목, 요지, 주장 – 비판/반박

다음 글의 주제로 가장 적절한 것은?

For many people, work has become an obsession. It has caused burnout, unhappiness and gender inequity, as people struggle to find time for children or passions or pets or any sort of life besides what they do for a paycheck. But increasingly, younger workers are pushing back. More of them expect and demand flexibility — paid leave for a new baby, say, and generous vacation time, along with daily things, like the ability to work remotely, come in late or leave early, or make time for exercise or meditation. The rest of their lives happens on their phones, not tied to a certain place or time — why should work be any different?

① ways to increase your paycheck
② obsession for reducing inequity
③ increasing call for flexibility at work
④ advantages of a life with long vacations

정답 해설

구조분석 및 해석

01 많은 사람들에게, 일은 강박이 되었다. 02 사람들이 급료를 받고 하는 일 외에 아이들, 취미 활동, 애완동물, 또는 어떤 종류의 생활을 위해서든 시간을 내려고 애를 쓰면서 그것은 극도의 피로, 불행, 그리고 남녀의 불평등을 유발했다.

→ 중심 소재(Topic): 일(근무)
일반적 사실: 많은 사람들이 일을 강박적으로 하면서 피로와 불행을 경험한다.

03 하지만 점차, 젊은 노동자들이 반발하고 있다.
→ 내용 전환 신호어: But

04 그들 중 더 많은 이들이 유연성을 기대하고 요구한다 — 예를 들어, 원격 근무, 늦은 출근이나 이른 퇴근, 또는 운동이나 명상을 위해 시간을 낼 수 있는 것처럼 일상적인 문제들과 더불어, 신생아를 위한 유급 휴가와 넉넉한 휴가 기간.
→ 주제문: 많은 젊은 노동자들이 근무 유연성을 기대/요구한다.

05 그들 삶의 나머지 부분이 특정한 장소나 시간에 얽매이지 않은 채, 전화기 상에서 벌어진다 — 일이라고 해서 다를 것이 있겠는가?
→ 부연 설명

① 당신의 급료를 올리는 방법들
② 불평등을 줄이는 것에 대한 강박
③ 근무 유연성에 대한 늘어나는 요구
④ 긴 휴가를 누리는 삶의 이점

해설

중심 소재는 일(근무)이고, 글의 처음에는 일반적인 상황을 설명하는데, 많은 사람들이 근무뿐만 아니라 개인적인 생활을 위해 시간을 내려고 애쓰면서 일은 강박이 되어 피로감과 불행을 유발한다고 말한다. But으로 시작하는 세 번째 문장부터 내용이 전환되어, 이런 상황에 젊은 노동자들이 반발한다고 설명한다. 그다음 주제문에서는 젊은 노동자들이 근무의 유연성을 기대하고 요구한다고 말한 뒤, 출산 관련 유급 휴가, 긴 휴가 기간, 출퇴근 시간의 유연성, 여가 확보 등 근무 유연성의 예시들이 제시된다. 따라서 글의 주제로 가장 적절한 것은 ③ '근무 유연성에 대한 늘어나는 요구'이다.

어휘

obsession 강박 burnout 극도의 피로 gender 성별
inequity 불평등 passion 열정적으로 하는 취미 활동 pet 애완동물
paycheck 급료 push back 반발하다 flexibility 유연성
paid leave 유급 휴가 say 예를 들어 generous 넉넉한
remotely 원격으로 meditation 명상 tie 얽매다

정답 ③

실전 예제 02

출제 유형 04 주제, 제목, 요지, 주장 – 비판/반박

다음 글의 제목으로 가장 적절한 것은? 2024 지방직 9급

Every organization has resources that it can use to perform its mission. How well your organization does its job is partly a function of how many of those resources you have, but mostly it is a function of how well you use the resources you have, such as people and money. You as the organization's leader can always make the use of those resources more efficient and effective, provided that you have control of the organization's personnel and agenda, a condition that does not occur automatically. By managing your people and your money carefully, by treating the most important things as the most important, by making good decisions, and by solving the problems that you encounter, you can get the most out of what you have available to you.

① Exchanging Resources in an Organization
② Leaders' Ability to Set up External Control
③ Making the Most of the Resources: A Leader's Way
④ Technical Capacity of an Organization: A Barrier to Its Success

---

정답 해설

구조분석 및 해석

01 모든 조직은 임무를 수행하기 위해 사용할 수 있는 자원을 가지고 있다.
→ 중심 소재(Topic): 조직과 자원
통념 제시: 모든 조직은 자원을 보유함

02 조직이 얼마나 잘 작동하는가는, 부분적으로는 당신이 그 자원을 얼마나 많이 가지고 있는가와 관련된 요소이지만, 대부분은 사람이나 돈 같이 당신이 가진 자원을 당신이 얼마나 잘 활용하는가와 관련된 요소이다.
→ 역접의 신호어: but
주제문: 조직의 성과는 자원 활용에 달려 있다.

03 조직의 리더로서, 만약 당신이 자동으로 생겨나지 않는 조건인, 조직의 인력과 안건에 대한 통제력을 가지고 있다면, 당신은 항상 그 자원의 사용이 더 효율적이고 효과적이도록 만들 수 있다.
→ 뒷받침 1: 효율적 자원 활용을 위한 전제 조건 – 통제력

04 당신의 사람과 돈을 신중하게 관리하고, 가장 중요한 것을 가장 중요하게 여기며, 좋은 결정을 내리고, 마주하는 문제를 해결함으로써, 당신은 당신이 가진 자원을 자신에게 최대한 유용하게 사용할 수 있다.
→ 뒷받침 2: 효율적 자원 활용 방법 – 관리, 판단, 해결

① 조직에서의 자원 교환
② 외부 통제를 설정하는 리더의 능력
③ 자원을 최대한 활용하기: 리더의 방법
④ 조직의 기술적 역량: 성공의 장애물

해설

첫 번째 문장에서 자원이라는 글의 중심 소재가 제시된다. 그러고 나서, 두 번째 문장 but 이후에 글의 주제가 등장한다. 당신의 조직이 얼마나 잘 운영되고 있는지를 결정하는 것은 바로 당신이 인력과 돈과 같은 자원을 얼마나 잘 사용하는지와 관련된 문제라는 것이다. 이후에는 이에 대한 부연 설명으로 조직의 리더로서 당신이 이러한 자원들을 어떻게 사용해야 이것으로부터 최대한의 효과를 얻어낼 수 있는지에 대한 구체적인 방법을 제시하고 있다. 따라서 글의 제목으로 적절한 것은 ③ '자원을 최대한 활용하기: 리더의 방법'이다.

어휘

organization 기업 resources 자원 a function of ~와의 상관관계
agenda 과제 condition 조건 occur 발생하다
encounter 마주치다 get the most out of ~를 최대한으로 활용하다
exchange 교환하다 set up 설정하다 external 외부적인
make the most of ~를 최대한으로 활용하다 capacity 역량
barrier 장애물

정답 ③

출제유형 04 주제, 제목, 요지, 주장 – 미괄식

독해공식 06 미괄식

- 글의 후반부에 주제문이 제시되는 구조의 문제 유형이다.

풀이 전략

Step 1 초반부를 요약하고 글의 전개를 통해 중심 소재 (topic)를 파악하라!

Step 2 요약/결론이 제시되는 후반부에서 주제문을 찾아라!

Step 3 중심 소재(topic)와 핵심 의견(idea)이 결합된 선택지를 골라라!

쌤's TIP
중심 소재가 포함되지 않은 선택지와 글에 언급되지 않은 내용이 포함된 선택지를 우선 제거한 뒤, 중심 소재(topic)와 글쓴이의 핵심 의견(idea)이 적절히 포함된 선택지를 최종 선택합니다.

적용 예시

다음 글의 제목으로 가장 적절한 것은?

Pineapples were brought back from the West Indies by early European explorers during the seventeenth century. From that time on, the pineapple was cultivated in Europe and became the favored fruit to serve to royalty and the elite. The pineapple was later introduced into North America and became a part of North American hospitality as well. Pineapples were displayed at doors or on gateposts, announcing to friends and acquaintances: "The ship is in! Come join us. Food and drink for all!" Since its introduction, the pineapple has been internationally recognized as a symbol of hospitality and a sign of friendliness, warmth, and cheer.

① Pineapples: A Symbol of Hospitality
② Cultivation of Pineapples in the West
③ Pineapple Industry in the West
④ Hospitality: Essence of Humans

미괄식 주제문의 신호어

실험이나 연구를 소개하는 글인 경우, 실험의 배경/주제 → 실험 대상 → 실험 과정 → 실험 결과 → 결과에 대한 분석(주제문) 구조를 취하는 경우가 많다. 주제문에 사용되는 결론/요약/인과 관계의 연결어를 미리 파악해 둔다.

1 결론의 신호어

| After all | In conclusion |

2 요약의 신호어

| In summary | To sum up |
| In a word | In a nutshell |

3 결과의 신호어

Therefore	As a result
So	Consequently
Thus	

정답 해설

구조분석 및 해석

01 Pineapples were brought back from the West Indies by early European explorers during the seventeenth century.
01 파인애플은 17세기 동안 초기 유럽 탐험가들에 의해 서인도 제도로부터 돌아올 때 도입됐다.

→ 중심 소재(Topic): 파인애플

02 From that time on, the pineapple was cultivated in Europe and became the favored fruit to serve to royalty and the elite.
02 그때부터 줄곧 파인애플은 유럽에서 재배되었고 왕족과 상류층을 대접하는 데 선호되는 과일이 되었다.

→ 배경 소개 1: 유럽에 소개된 파인애플

03 The pineapple was later introduced into North America and became a part of North American hospitality as well. **04** Pineapples were displayed at doors or on gateposts, announcing to friends and acquaintances: "The ship is in! Come join us. Food and drink for all!"
03 파인애플은 이후 북아메리카에 도입되어 역시 북아메리카식 환대의 일부분이 되었다. 04 파인애플은 문 앞 혹은 문기둥에 전시되어 친구와 지인에게 "배가 들어옵니다! 어서들 오세요. 모두를 위한 음식과 음료입니다!"라고 알렸다.

→ 배경 소개 2: 북미에 소개된 파인애플

05 Since its introduction, the pineapple has been internationally recognized as a symbol of hospitality and a sign of friendliness, warmth, and cheer.
05 그것(파인애플)의 도입 이래로 파인애플은 국제적으로 환대의 상징이자 친근감, 따뜻함 그리고 응원의 상징으로 인식되어 왔다.

→ 결론/주제문: 파인애플은 국제적으로 환대와 친근감, 따뜻함 그리고 응원의 상징이다.

① 파인애플: 환대의 상징
② 서양에서의 파인애플 재배
③ 서양의 파인애플 산업
④ 환대: 인간의 본질

해설
첫 문장에서 파인애플이라는 글의 중심 소재가 제시되었고 17세기에 서인도 제도로부터 도입된 파인애플은 왕족과 상류층을 대접하는 데 선호되는 과일로 자리 잡았으며 아울러 파인애플은 북미에서도 환대의 일부가 되었다는 내용의 글이다. 마지막 문장이 주제문이자 글의 결론이다. 따라서 이 글의 제목으로 ① '파인애플: 환대의 상징'이 가장 적절하다.

어휘
West Indies 서인도 제도 from that time on 그때부터 줄곧
cultivate 재배하다 royalty 왕족 hospitality 환대
gatepost 문기둥 acquaintance 지인 essence 본질

정답 ①

전략 적용하기

① 후반부에서 주제문 찾기

글의 초반부에서 중심 소재(topic)를 찾고 후반부에서 주제문을 찾으세요.

중심 소재	파인애플
주제문	파인애플은 국제적으로 환대와 친근감, 따뜻함 그리고 응원의 상징이다.

② 선택지에서 답 찾기

선택지를 읽으며 중심 소재(topic)에는 동그라미, idea에는 밑줄을 그어서 답을 찾으세요.

① Pineapples: A Symbol of Hospitality 주제문과 일치
② Cultivation of Pineapples in the West 언급된 내용을 이용한 오답
③ Pineapple Industry in the West 언급 없음
④ Hospitality: Essence of Humans 언급 없음

실전 예제 01

출제 유형 04 주제, 제목, 요지, 주장 – 미괄식

글의 제목으로 가장 적절한 것은?

⁰¹ Many visitors to the United States think that Americans take their exercise and free time activities too seriously. ⁰² Americans often schedule their recreation as if they were scheduling business appointments. ⁰³ They go jogging every day at the same time, play tennis two or three times a week, or swim every Thursday. ⁰⁴ Foreigners often think that this kind of recreation sounds more like work than relaxation. ⁰⁵ For many Americans, however, their recreational activities are relaxing and enjoyable, or at least worthwhile, because they contribute to health and physical fitness.

① Health and Fitness
② Popular Recreational Activities in the United States
③ The American Approach to Recreation
④ The Definition of Recreation

정답 해설

구조분석 및 해석

⁰¹ 미국을 방문하는 많은 방문자들은 미국 사람들이 운동과 여가 시간의 활동을 너무 진지하게 받아들인다고 생각한다.
→ 중심 소재(Topic): 미국인의 레크리에이션 활동
일반적 생각: 미국인들은 여가 활동을 너무 진지하게 받아들인다.

⁰² 흔히 미국인들은 마치 그들이 비즈니스 약속을 잡듯이 레크리에이션에 대한 일정을 잡는다. **⁰³** 그들은 매일 같은 시간에 조깅을 하거나 주 2~3회 테니스를 치거나, 또는 매주 목요일에 수영을 한다. **⁰⁴** 외국인들은 종종 이런 종류의 레크리에이션이 휴식보다 일 같다고 생각한다.
→ 뒷받침: 01 에 대한 부연

⁰⁵ 그러나 많은 미국인들에게 그들의 레크리에이션 활동은 편안하고 즐겁거나, 그 활동들이 건강과 신체 단련에 기여하기 때문에 적어도 가치가 있다.
→ 주제문: 많은 미국인들에게 여가 활동은 휴식, 즐거움, 가치를 주는 활동이다.
→ 신호어: however

① 건강과 운동
② 미국에서 인기 있는 레크리에이션 활동
③ 레크리에이션에 대한 미국인들의 접근법
④ 레크리에이션의 정의

해설

중심 소재는 미국인들의 레크리에이션 활동이고 이에 대한 두 개의 상반된 시각을 보여주는 글로, 일반적인 관점을 제시하고 이에 대한 글쓴이의 생각을 마지막에 제시하는 비판/반박과 미괄식이 혼합된 구조이다. 전반부와 중반부에서는 미국인들이 레크리에이션 활동을 비즈니스처럼 진지하게 여긴다는 외국인들의 시각이 제시된다. 그러나 역접의 접속사 however가 포함된 마지막 문장에서는 이와 반대로, 많은 미국인들이 레크리에이션 활동을 편안하고 즐겁게 생각한다는 글쓴이의 의견이 제시된다. 따라서 글의 제목으로 가장 적절한 것은 ③ '레크리에이션에 대한 미국인들의 접근법'이다.

어휘

take seriously ~을 진지하게 받아들이다 **schedule** 일정을 잡다
relaxation 휴식 **recreational** 레크리에이션의 **enjoyable** 즐거운
worthwhile 가치 있는 **contribute to** ~에 기여하다
approach 접근법 **definition** 정의

정답 ③

실전 예제 02

출제 유형 04 주제, 제목, 요지, 주장 – 미괄식

다음 글의 요지로 가장 적절한 것은?

Many parents have been misguided by the "self-esteem movement," which has told them that the way to build their children's self-esteem is to tell them how good they are at things. Unfortunately, trying to convince your children of their competence will likely fail because life has a way of telling them unequivocally how capable or incapable they really are through success and failure. Research has shown that how you praise your children has a powerful influence on their development. Some researchers found that children who were praised for their intelligence, as compared to their effort, became overly focused on results. Following a failure, these same children persisted less, showed less enjoyment, attributed their failure to a lack of ability, and performed poorly in future achievement efforts. Praising children for intelligence made them fear difficulty because they began to equate failure with stupidity.

① Frequent praises increase self-esteem of children.
② Compliments on intelligence bring about negative effect.
③ A child should overcome fear of failure through success.
④ Parents should focus on the outcome rather than the process.

정답 해설

구조분석 및 해석

01 많은 부모가 '자존감 운동'에 의해 잘못 이끌리게 되었는데 이 운동은 그들에게 자신들의 자녀의 자존감을 키우는 방법은 자녀가 얼마나 일을 잘하는지 말하는 것이라고 한다.
→ 중심 소재(Topic): 지능 칭찬의 위험성
일반적인 통념: 자존감을 키우는 방법 = 칭찬

02 <mark>불행히도</mark>, 자녀에게 그들의 능력을 확신시키려고 애쓰는 것은 아마 실패할 것인데, 인생은 흔히 성공과 실패를 통해 그들이 정말로 얼마나 유능한지, 혹은 무능한지를 그들에게 명백히 보여주게 되기 때문이다.
→ 내용 전환: 실패의 가능성
신호어: Unfortunately

03 연구는 당신이 자녀를 어떻게 칭찬하는지가 그들의 발달에 강력한 영향을 준다는 것을 보여준다. 04 어떤 연구원들은 노력과 비교해서 지능을 칭찬받은 아이들은 지나치게 결과에 초점을 두게 된다는 것을 발견했다.
05 실패 후에 이 똑같은 아이들은 덜 끈기 있고, 덜 즐거움을 보여주고 자신들의 실패를 능력 부족 탓으로 돌리고, 미래 성취 노력을 제대로 수행하지 못했다.
→ 뒷받침: 연구 내용: 지능 칭찬이 자녀에게 미치는 부정적인 영향

06 <mark>아이들을 지능으로 칭찬하는 것은 그들이 실패를 멍청함과 동일시하기 시작했기 때문에 어려움을 두려워하도록 만들었다.</mark>
→ 주제문: 지능을 칭찬받은 아이들은 어려움을 두려워하게 된다.

① 잦은 칭찬이 아이들의 자존감을 높인다.
② 지능에 대한 칭찬은 부정적인 결과를 가져온다.
③ 아이는 성공을 통해 실패의 두려움을 극복해야 한다.
④ 부모는 과정보다는 결과에 초점을 두어야 한다.

해설

중심 소재는 지능 칭찬의 위험성이다. 이 글은 부모가 아이들을 어떻게 칭찬하는지가 중요한데, 지능을 칭찬하는 것의 위험성을 다룬 마지막 문장이 주제문인 미괄식 구조의 글이다. 먼저 기존 통념은 아이들의 자존감을 키우려면 잘하는 것을 많이 칭찬하라고 하였지만 두 번째 문장에서 Unfortunately로 반박하며 이것은 실패할 가능성이 많다고 한다. 그리고 구체적으로 실험을 언급하면서 노력보다는 지능을 칭찬받은 아이들은 실패했을 경우 끈기와 흥미를 잃어버리고, 능력을 탓하며 노력을 덜하게 되었다는 실험의 내용을 설명한다. 그리고 마지막 문장에서 결과를 도출하여 지능을 칭찬받은 아이들은 어려움을 두려워하게 된다고 한다. 따라서 요지로 가장 적절한 것은 ② '지능에 대한 칭찬은 부정적인 결과를 가져온다.'이다.

정답 ②

어휘

misguide ~을 잘못 이끌다   self-esteem 자존감   movement 운동
convince 확신시키다   competence 능력   likely 아마
have a way of 흔히 ~하게 되어 가다   unequivocally 명백히
capable 유능한   incapable 무능한   praise 칭찬   intelligence 지능
as compared to ~와 비교해서   overly 지나치게
persist 집요하게 계속하다   enjoyment 즐거움
attribute 탓이라고 말하다   lack 부족   perform 수행하다
achievement 성취   equate 동일시하다   stupidity 멍청함
frequent 잦은   compliment 칭찬   bring about ~을 끌어내다
overcome 극복하다   outcome 결과

출제유형 04

주제, 제목, 요지, 주장 – 단락 종합

독해공식 07 | 단락 종합

- 한 가지 중심 소재(topic)에 대한 두 개의 특징이나 의견이 글의 전반부와 후반부로 나뉘어 각기 설명되는 문제 유형이다.

풀이 전략

Step 1 글의 초반부에서 중심 소재(topic)를 파악하라!
Step 2 전후반의 내용을 각각 요약하라!
Step 3 두 개의 소주제가 결합된 선택지를 골라라!

쌤's TIP
위의 두 가지가 잘 종합된 선택지를 고릅니다. 선택지를 읽으며 중심 소재(topic)에는 동그라미, 핵심 의견(idea)에는 밑줄을 그어서 답을 찾으세요.

적용 예시

다음 글의 요지로 가장 적절한 것은?

In one study, done in the early 1970s when young people tended to dress in either "hippie" or "straight" fashion, experimenters donned hippie or straight attire and asked college students on campus for a dime to make a phone call. When the experimenter was dressed in the same way as the student, the request was granted in more than two-thirds of the instances; when the student and requester were dissimilarly dressed, the dime was provided less than half the time. Another experiment showed how automatic our positive response to similar others can be. Marchers in an antiwar demonstration were found to be more likely to sign the petition of a similarly dressed requester and to do so without bothering to read it first.

① People are more likely to help those who dress like themselves.
② Dressing up formally increases the chance of signing the petition.
③ Making a phone call is an efficient way to socialize with other students.
④ Some college students in the early 1970s were admired for their unique fashion.

구조분석 및 해석

01 **In one study**, done in the early 1970s when young people tended to dress in either "hippie" or "straight" fashion, experimenters donned hippie or straight attire and asked college students on campus for a dime to make a phone call.
01 젊은이들이 '히피'나 '일반' 패션으로 옷을 입는 경향이 있었을 때인 1970년대 초에 행해진 한 연구에서, 실험자들은 히피나 일반 복장을 하고 캠퍼스의 대학생들에게 전화를 걸기 위해 10센트짜리 동전을 (달라고) 부탁했다.
→ 실험 1: 옷차림의 유사성이 요청 수락에 미치는 영향
중심 소재(Topic): 옷차림의 유사성과 긍정적 반응

02 When the experimenter was **dressed in the same way** as the student, the request was granted in more than two-thirds of the instances; when the student and requester were dissimilarly dressed, the dime was provided less than half the time.
02 실험자가 학생과 같은 방식으로 옷을 입었을 때, 그 요청은 3분의 2 이상의 경우에서 받아들여졌다; 학생과 요청자가 서로 다르게 옷을 입었을 때, 10센트짜리 동전은 절반보다 더 적은 경우로 제공됐다.
→ 실험 1 결과: 옷차림이 유사하면 요청에 더 긍정적으로 반응함

03 **Another experiment** showed how automatic **our positive response to similar others** can be.
03 또 다른 실험은 비슷한 다른 사람들에 대한 우리의 긍정적인 반응이 얼마나 자동적일 수 있는지를 보여주었다.
→ 실험 2: 옷차림의 유사성이 요청 수락에 미치는 영향

04 Marchers in an antiwar demonstration were found to be more likely to sign the petition of a **similarly dressed requester** and to do so without bothering to read it first.
04 반전 시위에 참가한 시위자들은 비슷하게 옷을 입은 요청자의 탄원서에 서명하며, 우선 그것을 일부러 읽으려 하지 않고 그렇게 할 가능성이 더 높은 것으로 밝혀졌다.
→ 실험2 결과: 옷차림이 유사하면 요청에 더 긍정적으로 반응함

① 사람들은 자신들과 비슷하게 옷을 입은 사람들을 도와줄 가능성이 더 높다.
② 격식을 차려 옷을 입는 것은 탄원서에 서명할 가능성을 증가시킨다.
③ 전화하는 것은 다른 학생들과 어울리는 효율적인 방법이다.
④ 1970년대 초기 몇몇 대학생들은 그들의 독특한 패션으로 찬사를 받았다.

해설
이 글은 특별한 주제문 없이 두 가지 실험 내용과 실험 결과를 통해서 글의 주제를 추론하는 글이다. 한 실험에서 실험자들이 학생들이 입는 '히피' 패션과, '일반' 패션을 입고 돈을 요구하는 실험을 한다. 실험자들이 학생들과 같은 방식으로 옷을 입고 돈을 요구하면 2/3 확률 이상으로 받아들여졌고, 학생들과 다르게 옷을 입고 돈을 요구하면 1/2 확률보다 더 적게 받아들여졌다. 그리고 또 다른 실험에서, 전쟁 반대 시위에 참가한 사람들도 자신들과 비슷하게 입은 사람들의 탄원서에 서명하고 심지어 그 내용을 읽지도 않고 탄원서에 서명할 가능성이 더 높았다고 설명한다. 따라서 이 글의 요지로 가장 적절한 것은 ① '사람들은 자신들과 비슷하게 옷을 입은 사람들을 도와줄 가능성이 더 높다.'이다.

어휘
dress 옷을 입다 experimenter 실험자 don (옷을) 입다
attire 복장 dime 10센트짜리 동전 grant 받아주다
instance 경우 dissimilarly 다르게 automatic 자동적인
marcher 시위자 demonstration 시위 petition 탄원서
bother 일부러 ~하다 socialize with ~와 어울리다
admire 감탄하다

정답 ①

전략 적용하기

❶ 중심 소재(topic)와 전후반 내용 종합하기
글의 초반부에서 중심 소재와 소주제를 찾아 써 보세요.

중심 소재	옷차림의 유사성과 긍정적 반응
소주제1	옷차림이 유사하면 요청이 더 많이 받아들여짐(동전 요청)
소주제2	옷차림이 유사하면 요청이 더 많이 받아들여짐(탄원서 서명 요청)

❷ 선택지에서 답 찾기
선택지를 읽으며 중심 소재(topic)에는 동그라미, idea에는 밑줄을 그어서 답을 찾으세요.

① People are more likely to help those who dress like themselves. 주제와 일치
② ~~Dressing up formally~~ increases the chance of signing the petition. 언급 없음
③ Making a phone call is ~~an efficient way to socialize with other students~~. 언급 없음
④ Some college students in the early 1970s were ~~admired for their unique fashion~~. 언급 없음

실전 예제 01

출제 유형 04 주제, 제목, 요지, 주장 - 단락 종합

다음 글의 주제로 가장 적절한 것은?

> ⁰¹The dictionary emphasizes the trivial matters of language. ⁰²The precise spelling of a word is relatively trivial because, however the word is spelled, it nevertheless remains only an approximation of the spoken word. ⁰³"A machine chose the chords" is a correctly spelled English sentence, but what is written as "ch" is spoken with the three different sounds. ⁰⁴In addition, all dictionaries give a distorted view of a language because of their alphabetical organization. ⁰⁵This organization emphasizes the prefixes, which come at the beginning of words, rather than the suffixes, which come at the end. ⁰⁶Yet, in English and in many other languages, suffixes have more effect on words than do prefixes. ⁰⁷Finally, an adequate dictionary usually takes at least a decade to prepare, and by the time it has been completed it is the dictionary of a changed language, simply because the meanings of words do not stay the same from year to year.

① 사전의 문제점
② 사전의 편찬 과정
③ 사전에 대한 인식 변화
④ 사전과 학습자의 인지 전략

정답 해설

구조분석 및 해석

01 사전은 언어의 사소한 문제들을 강조한다.
→ 중심 소재(Topic): 사전
소주제 1: 사전의 문제점 1

02 한 단어의 정확한 철자는 상대적으로 사소한데, 왜냐하면 그 단어가 어떻게 철자로 쓰이든지 간에, 그럼에도 불구하고 그 단어는 말로 된 단어의 근사치에 불과하기 때문이다. 03 "A machine chose the chords"는 정확하게 철자로 쓰인 영어 문장이지만, 그러나 'ch'로 써진 것은 세 가지 다른 소리로 말해진다.
→ 사전의 문제점 1에 대한 부연 설명: 사소한 것만 언급

04 게다가 모든 사전은 그들의 알파벳순 구성으로 인해 언어에 대한 왜곡된 시각을 준다.
→ 소주제 2: 사전의 문제점 2

05 이 구성은 단어의 끝에 오는 접미사보다 앞머리에 오는 접두사를 강조한다. 06 그러나 영어와 다른 많은 언어에서 접미사는 단어에 접두사가 영향을 주는 것보다 더 영향을 미친다.
→ 사전의 문제점 2에 대한 부연 설명: 언어에 대한 왜곡된 시각

07 마지막으로 적절한 사전은 준비하는 데 적어도 십 년은 소요되고 그리고 사전이 완료되는 시점에는 사전은 바뀐 언어의 사전이 되는데, 단지 단어의 의미가 매년 동일하게 유지되지 않기 때문에 그러하다.
→ 소주제 3: 사전의 문제점 3
사전의 문제점 3에 대한 부연 설명: 변화를 반영하지 못함

해설

이 글의 중심 소재는 사전이며, 저자는 사전의 세 가지 문제점을 나열하고 있다. 첫 번째는 사전이 중요한 것은 나타내지 못하고 사소한 것들만 언급하는 점이고, 두 번째는 사전이 언어에 대한 왜곡된 시각을 주는 점이다. 마지막으로 사전 편찬에 시간이 많이 들기 때문에 그 사이 변화된 뜻을 반영하지 못한다고 말하고 있다. 이 세 가지의 공통점인 ① '사전의 문제점'이 주제로 가장 적절하다.

어휘

trivial 사소한   approximation 근사치   distorted 왜곡된
prefix 접두사   suffix 접미사   have an effect on ~에 영향을 미치다
from year to year 매년

정답 ①

실전 예제 02

다음 글의 주제로 가장 적절한 것은?

The e-book applications available on tablet computers employ touchscreen technology. Some touchscreens feature a glass panel covering two electronically-charged metallic surfaces lying face-to-face. When the screen is touched, the two metallic surfaces feel the pressure and make contact. This pressure sends an electrical signal to the computer, which translates the touch into a command. This version of the touchscreen is known as a resistive screen because the screen reacts to pressure from the finger. Other tablet computers feature a single electrified metallic layer under the glass panel. When the user touches the screen, some of the current passes through the glass into the user's finger. When the charge is transferred, the computer interprets the loss in power as a command and carries out the function the user desires. This type of screen is known as a capacitive screen.

① how users learn new technology
② how e-books work on tablet computers
③ how touchscreen technology works
④ how touchscreens have evolved

구조분석 및 해석

01 태블릿 컴퓨터에서 사용할 수 있는 e-북 앱은 터치스크린 기술을 사용한다.
→ 중심 소재(Topic): 터치스크린 기술(touchscreen technology)

02 일부 터치스크린은 마주 보고 놓인 두 개의 전기를 띤 금속막을 덮는 유리 패널을 특징으로 한다. **03** 스크린이 만져지면, 두 개의 금속막은 압력을 느끼고 전류를 연결한다. **04** 이 압력은 컴퓨터에 전기 신호를 보내고, 이 신호는 접촉을 명령으로 바꾼다. **05** 이 버전의 터치스크린은 저항막 방식의 스크린으로 알려져 있는데, 왜냐하면 스크린이 손가락의 압력에 반응하기 때문이다.
→ 소주제 1: 터치스크린 기술 1: 저항막 방식
 - 스크린이 손가락의 압력에 반응

06 다른 태블릿 컴퓨터들은 유리 패널 아래에 하나의 전기가 통하는 금속막을 특징으로 한다. **07** 사용자가 스크린을 만지면, 전류 일부가 유리를 통과해서 사용자의 손가락으로 전해진다. **08** 전류가 이동되면, 컴퓨터는 전력의 손실을 명령으로 이해하고 사용자가 바라는 기능을 수행한다. **09** 이런 유형의 스크린은 정전용량 방식의 스크린으로 알려져 있다.
→ 소주제 2: 터치스크린 기술 2: 정전용량 방식
 - 스크린이 손가락의 전류에 반응

① 사용자들이 어떻게 새로운 기술을 배우는가
② e-북들이 태블릿 컴퓨터에서 어떻게 작동하는가
③ 터치스크린 기술이 어떻게 작동하는가
④ 터치스크린이 어떻게 발전해 왔는가

해설

첫 문장에서 중심 소재(topic)를 제시하고 두 개의 소주제를 설명하는 구조의 글이다. 중심 소재는 터치스크린 기술로, 첫 번째 소주제는 사용자가 손가락으로 누르는 압력을 이용하는 저항막 방식이고, 두 번째 소주제는 사용자의 손가락의 약한 전류를 이용하는 정전용량 방식이다. 즉 이 글은 터치스크린 기술이 작동하는 두 가지 방식에 대해 설명하고 있으므로 가장 적절한 주제는 ③ '터치스크린 기술이 어떻게 작동하는가'이다. 첫 문장을 주제문으로 생각해서 e-북의 작동 방식을 언급하는 ②를 고르지 않도록 주의해야 한다.

어휘

application 앱, 응용프로그램 employ 사용하다
feature 특징으로 하다 electronically-charged (물체가) 전기를 띤
surface 막, 표면 face-to-face 마주 보는
make contact (전류를) 연결하다, 접촉하다 command 명령
resistive 저항막 방식의 electrified 전기가 통하는 current 전류
capacitive 정전용량 방식의 evolve 발전하다

정답 ③

출제유형 04
주제, 제목, 요지, 주장 – 주제문 없음

독해공식 08 주제문 없음

- 글 전반에 특별한 주제문이 등장하지 않는 문제 유형이다.

풀이 전략

Step 1 글 초반부에서 반복해서 등장하는 중심 소재(topic)를 파악하라!

Step 2 중심 소재를 파악했다면 이에 대한 핵심 의견(idea)을 추론하라!

Step 3 중심 소재(topic)와 추론한 핵심 의견(idea)을 가장 잘 표현한 선택지를 골라라!

쌤's TIP
선택지에서 가장 많이 사용되는 단어나 표현을 찾아보세요. 이 두 가지 단어나 표현이 글의 중심 소재(topic)과 핵심 의견(idea)일 가능성이 크답니다.

적용 예시

다음 글의 제목으로 가장 적절한 것은?

> Many scholars surmise that the Hindu caste system took shape when Indo-Aryan people invaded the Indian subcontinent about 3,000 years ago, subjugating the local population. The invaders established a stratified society, in which they — of course — occupied the leading positions (priests and warriors), leaving the natives to live as servants and slaves. The invaders, who were few in number, feared losing their privileged status and unique identity. To forestall this danger, they divided the population into castes, each of which was required to pursue a specific occupation or perform a specific role in society. Each had different legal status, privileges and duties. Mixing of castes — social interaction, marriage, even the sharing of meals — was prohibited. And the distinctions were not just legal — they became an inherent part of religious mythology and practice.

① The Importance of Keeping Job Ethics
② The Origin of India's Economic System
③ The Achievement of Religious Leaders in India
④ The Advent of Social Hierarchy in India

구조분석 및 해석

01 Many scholars surmise that the Hindu caste system took shape when Indo-Aryan people invaded the Indian subcontinent about 3,000 years ago, subjugating the local population.
01 많은 학자는 힌두교 카스트 제도는 인도-아리안족이 약 3,000년 전에 인도 아대륙을 침략했을 때 현지 주민들을 정복하며 그 형태를 갖추었다고 추측한다.

→ 중심 소재(Topic): 카스트 제도
세부 사항: 카스트 제도의 시대적 지리적 배경

02 The invaders established a stratified society, in which they — of course — occupied the leading positions (priests and warriors), leaving the natives to live as servants and slaves. **03** The invaders, who were few in number, feared losing their privileged status and unique identity. **04** To forestall this danger, they divided the population into castes, each of which was required to pursue a specific occupation or perform a specific role in society.
02 침입자들은 계급화된 사회를 확립했는데, 그들은 물론 지배 계급(사제와 전사)을 차지하였고 원주민을 종과 노예로 살도록 남겨 두었다. 03 수에 있어 열세였던 침입자들은 자신들의 특권과 고유한 정체성을 잃게 될 것을 두려워했다. 04 이 위험을 미연에 방지하기 위해 그들은 인구를 카스트로 나누었고 각 카스트는 사회에서 특정한 직업을 계속하게 하거나 혹은 특정한 역할을 수행하도록 요구되었다.

→ 세부 사항 1: 카스트 제도의 목적: 지배계급이 특권과 정체성을 잃지 않기 위함

05 Each had different legal status, privileges and duties. **06** Mixing of castes — social interaction, marriage, even the sharing of meals — was prohibited. **07** And the distinctions were not just legal — they became an inherent part of religious mythology and practice.
05 각 계급은 서로 다른 법적 지위, 특권 그리고 의무를 가졌다. 06 사회적 상호 작용, 결혼, 심지어 음식을 같이 먹는 것 등의 카스트가 섞이는 것이 금지되었다. 07 그리고 이러한 구분은 합법적이었을 뿐 아니라 이들은 종교적 신화와 관습의 고유한 부분이 되었다.

→ 세부 사항 2: 카스트 제도의 특징과 정착

① 직업윤리 유지의 중요성
② 인도 경제 체제의 근원
③ 인도 종교 지도자들의 업적
④ 인도의 사회 계급 제도의 출현

해설

첫 문장에서 글의 중심 소재인 카스트 제도를 제시하고 카스트 제도가 출현하게 된 배경을 언급한다. 이어 카스트로 계층을 나눈 것은 특권을 가진 계급이 특권과 정체성을 잃지 않기 위함이라고 하면서 사회가 계층화된 이유를 말한다. 이어 카스트 제도의 특징과 정착을 위해 어떤 정책을 폈는지를 언급한다. 글 전반에 특별한 주제문이 없이 인도의 카스트 제도가 언제, 왜, 어떻게 생겨나 자리를 잡았는지에 대한 전반적인 설명을 하고 있다. 따라서 글의 제목으로는 ④ '인도의 사회 계급 제도의 출현'이 가장 적절하다.

어휘

surmise 추측하다 take shape 형태를 갖추다
the Indian subcontinent 인도 아대륙(인도 반도라고도 하며 현재 인도, 파키스탄, 방글라데시 등의 나라가 위치한 지역을 가리킴)
subjugate 정복하다 stratified (사회 등이) 계층화된
warrior 전사 slave 노예 privileged 특권을 가진 status 지위
forestall 미연에 방지하다 pursue 추구하다 legal 합법적인
inherent 고유의 mythology 신화 job ethics 직업윤리
advent 출현 hierarchy 계급 제도

정답 ④

전략 적용하기

1 글의 중심 소재를 찾고 주제 추론하기

글의 전체에서 다루는 중심 소재(topic)를 찾고 주제를 추론해 보세요.

중심 소재	카스트 제도
주제	카스트 제도의 기원과 특징

2 선택지에서 답 찾기

선택지를 읽으며 중심 소재(topic)에는 동그라미, idea에는 밑줄을 그어서 답을 찾으세요.

① The Importance of Keeping Job Ethics 언급 없음
② The Origin of India's Economic System 언급 없음
③ The Achievement of Religious Leaders in India
  언급 없음
④ The Advent of Social Hierarchy in India
  주제와 일치 = the Hindu caste system

실전 예제 01

출제 유형 04 주제, 제목, 요지, 주장 – 주제문 없음

다음 글의 제목으로 가장 적절한 것은?

Character is a respect for human beings and the right to interpret experience differently. Character admits self-interest as a natural trait, but pins its faith on man's hesitant but heartening instinct to cooperate. Character is allergic to tyranny, irritable with ignorance and always open to improvement. Character is, above all, a tremendous humility before the facts — an automatic alliance with truth even when that truth is bitter medicine.

① Character's Resistance to Truth
② How to Cooperate with Characters
③ The Ignorance of Character
④ What Character Means

정답 해설

구조분석 및 해석

01 인격이란 인간에 대한 존중이며, 경험을 다르게 해석할 수 있는 권리이다.
→ 중심 소재(Topic): 인격(character)
  인격이란 무엇인가를 설명

02 인격이란 사리추구를 타고난 특성으로 인정하지만, 인간의 주저하지만 협력하려는 따뜻한 본성에 확신을 고정하기도 한다.
→ 인격이란 무엇인가를 설명

03 인격은 폭정을 몹시 싫어하고, 무지를 참지 못하며, 언제나 향상에 열려있다.
→ 인격이란 무엇인가를 설명

04 무엇보다도 인격이란 진실 앞에서 엄청난 겸손함이다 — 심지어 진실이 쓴 약인 상황에서도 그 진실과의 무의식적인 연합이다.
→ 인격이란 무엇인가를 설명

① 진실에 대한 인격의 저항
② 어떻게 등장인물들과 협력할 것인가
③ 인격의 무지함
④ 인격은 무엇을 의미하는가

해설

첫 문장에서 글의 중심 소재인 인격을 제시하고 있고 모든 문장이 인격이란 무엇인가에 대해 나열식으로 설명하고 있다. 따라서 어느 한 문장을 주제문으로 꼽기는 어렵다. Character is ~라는 말이 반복되어 '인격은 ~이다'라고 인격에 대한 여러 정의를 내리고 있다. 따라서 글의 제목으로 가장 적절한 것은 ④ '인격은 무엇을 의미하는가'이다.

어휘

respect 존중(하다) interpret 해석하다 self-interest 사리추구
trait 특성 faith 신념 pin 고정하다 be allergic to ~을 몹시 싫어하다
tyranny 폭정 irritable 화를 잘 내는 above all 무엇보다
tremendous 엄청난 humility 겸손 automatic 무의식적인
alliance 연합 bitter 맛이 쓴 hesitant 주저하는 ignorance 무지

정답 ④

실전 예제 02

출제 유형 04 주제, 제목, 요지, 주장 - 주제문 없음

글의 제목으로 가장 적절한 것은?

Children usually feel sick in the stomach when traveling in a car, airplane, or train. This is motion sickness. While traveling, different body parts send different signals to the brain. Eyes see things around and they send signals about the direction of movement. The joint sensory receptors and muscles send signals about the movement of the muscles and the position in which the body is. The skin receptors send signals about the parts of the body which are in contact with the ground. The inner ears have a fluid in the semicircular canals. This fluid senses motion and the direction of motion like forward, backward, up or down. When the brain gets timely reports from the various body parts, it finds a relation between the signals and sketches a picture about the body's movement and position at a particular instant. But when the brain isn't able to find a link and isn't able to draw a picture out of the signals, it makes you feel sick.

① How Motion Sickness Is Caused
② Best Ways to Avoid Motion Sickness
③ Various Symptoms of Motion Sickness
④ First Aid to Motion Sickness in Children

정답 해설

구조분석 및 해석

01 아이들은 보통 자동차나 비행기, 혹은 기차를 타고 이동할 때 속이 울렁거림을 느낀다. 02 이것은 멀미이다.
→ 중심 소재(Topic): 멀미

03 이동을 할 때 각 신체 부위들이 뇌에 서로 다른 신호들을 보낸다.
→ 이동 시 신체 부위들의 반응: 뇌에 서로 다른 신호를 보냄

04 눈은 주위의 사물들을 보고서 움직이는 방향에 관한 신호를 보낸다. 05 관절 감각수용기와 근육 감각수용기는 근육의 움직임과 몸이 취한 자세에 관한 신호를 보낸다. 06 피부 수용기는 지면과 접촉하고 있는 신체 부위들에 관한 신호를 보낸다. 07 내이(內耳)는 반고리관 안에 유체(流體)를 가지고 있다. 08 이 유체는 동작과 앞으로, 뒤로, 위로, 혹은 아래로 같은 동작의 방향을 감지한다.
→ 04 ~ 08 : 03에 대한 예시

09 뇌가 다양한 신체 부위들로부터 시기적절한 보고를 받을 때, 뇌는 신호들 사이의 관계를 파악해서 특정 순간의 신체의 움직임과 자세에 관한 그림을 스케치한다.
→ 뇌의 정상적인 신호 파악: 멀미를 유발하지 않음

10 그러나 뇌가 신호들로부터 연결고리를 찾지 못해 그림을 그리지 못하면, 뇌는 당신이 몸이 안 좋다고 느끼도록 만든다.
→ 뇌의 비정상적인 신호 파악: 멀미를 유발함

① 멀미는 어떻게 발생하는가
② 멀미를 피할 가장 좋은 방법들
③ 멀미의 다양한 증상들
④ 아이들 멀미에 대한 응급 처치

해설

첫 두 문장을 통해 이 글의 중심 소재가 멀미(motion sickness)임을 알 수 있고, 이후 특별한 주제문 없이 우리가 이동할 때 몸의 각 부위와 뇌에서 일어나는 일련의 과정을 설명한다. 뇌로 보내진 각 신체 부위의 신호들 사이에서 뇌 연결고리를 잘 파악하면 멀미가 발생하지 않고, 반대로 연결고리를 잘 파악하지 못하면 멀미가 발생한다고 한다. 멀미가 일어나는 과정을 순차적으로 설명하는 글이므로 제목으로 가장 적절한 것은 ① '멀미는 어떻게 발생하는가'이다.

어휘

motion sickness 멀미   direction 방향   sensory 감각의
reception 수용기   in contact with ~와 접촉하는   fluid 유체
semicircular canal 반고리관   instant 순간   symptom 증상
first aid 응급 처치

정답 ①

출제유형 05 빈칸 완성 – 전반부 빈칸

독해공식 09 전반부 빈칸

- 문맥을 통해 전반부 빈칸에 들어갈 적절한 말을 추론하는 문제 유형이다.

풀이 전략

Step 1 전반부에 빈칸이 있는 문장은 대부분 주제문이고, 이 주제문을 완성시킬 중심 소재(topic)와 핵심 의견(idea)을 파악하며 글을 읽어야 한다!

Step 2 부연 설명이나 예시를 통해 중심 소재에 대한 핵심 의견을 예측할 수 있는 근거(clue)를 찾아라.

Step 3 근거 문장에서 찾아낸 핵심어나 이를 바꾸어 쓴 표현이 있는 선택지를 정답으로 골라야 한다!

쌤's TIP

글쓴이의 핵심 의견(idea)에서 벗어난 내용이 담긴 선택지를 먼저 소거하고, 주제문이나 근거 문장에서 찾아낸 핵심어나 이를 paraphrasing한 표현이 있는지 확인하세요. 빈칸 문장에 포함된 신호어나 부정어에 유의하여, 문장의 의미가 글의 맥락과 잘 어우러지도록 선택지를 고르세요.

적용 예시

밑줄 친 부분에 들어갈 말로 적절한 것은?   2025 국가직 9급

Active listening is an art, a skill and a discipline that takes _____.
To develop good listening skills, you need to understand what is involved in effective communication and develop the techniques to sit quietly and listen. This involves ignoring your own needs and focusing on the person speaking — a task made more difficult by the way the human brain works. When someone talks to you, your brain immediately begins processing the words, body language, tone, inflection and perceived meanings coming from the other person. Instead of hearing one noise, you hear two: the noise the other person is making and the noise in your own head. Unless you train yourself to remain vigilant, the brain usually ends up paying attention to the noise in your own head. That's where active listening techniques come into play. Hearing becomes listening only when you pay attention to what the person is saying and follow it very closely.

① a sense of autonomy
② a creative mindset
③ a high degree of self-control
④ an extroverted personality

구조분석 및 해석

01
<mark>Active listening is an art, a skill and a discipline that takes a high degree of self-control.</mark>
01 능동적 듣기는 기술이자 예술이며 높은 정도의 자기통제가 필요한 훈련이다.
→ 중심 소재(Topic): 능동적 듣기
  주제문: 능동적 듣기 기술은 자기통제가 필요하다.

02
To develop good listening skills, you need to understand what is involved in effective communication and develop the techniques to sit quietly and listen. **03** This involves <u>ignoring your own needs</u> and <u>focusing on the person speaking</u> — a task made more difficult by the way the human brain works.
02 좋은 듣기 능력을 개발하려면, 효과적인 의사소통에 무엇이 포함되는지 이해하고, 조용히 앉아서 듣는 기술을 개발해야 한다. 03 이는 자신의 욕구를 무시하고 말하는 사람에게 집중하는 것을 포함한다 — 인간의 뇌가 작동하는 방식 때문에 더 어려운 일이다.
→ 뒷받침: 훈련 요소: 집중과 자기 억제

04
When someone talks to you, your brain immediately begins processing the words, body language, tone, inflection and perceived meanings coming from the other person. **05** Instead of hearing one noise, you hear two: the noise the other person is making and the noise in your own head. **06** Unless you <u>train yourself to remain vigilant</u>, the brain usually ends up paying attention to the noise in your own head.
04 누군가가 당신에게 말을 할 때, 당신의 뇌는 즉시 그 사람한테서 나오는 말, 몸짓, 톤, 억양, 그리고 인지되는 의미를 처리하기 시작한다. 05 한 가지 소리를 듣는 대신, 두 가지 소리를 듣게 되는 것이다: 상대방이 내는 소리와 당신 머릿속에서 들리는 소리이다. 06 긴장 상태를 유지하도록 훈련하지 않으면, 뇌는 보통 머릿속의 소리에 집중하게 된다.
→ 뒷받침: 경청이 어려운 이유: 뇌의 작동 방식

07
That's where active listening techniques come into play. **08** Hearing becomes listening only when you <u>pay attention</u> to what the person is saying and <u>follow it very closely</u>.
07 그때 능동적 듣기 기법이 필요해진다. 08 그 사람이 말하는 것에 집중하고 그것을 매우 긴밀하게 따라갈 때만이 (수동적) 듣기가 (능동적) 듣기로 바뀌게 된다.
→ 주제 재진술: 집중해야 능동적 듣기가 가능함

① 자율성 인식
② 창조적인 사고방식
④ 외향적 성격

해설

중심 소재는 능동적 듣기(active listening)이며 빈칸이 있는 첫 번째 문장이 주제문이다. 따라서 이후에 오는 자세한 설명을 종합하여 능동적 듣기를 위해 무엇이 필요한지를 파악함으로써 주제문을 완성해야 한다. 바로 뒤의 문장에서 여기에는 자기 욕구를 무시하고 다른 사람에게 집중하는 것이 필요하다고 말한다. 즉 우리의 뇌는 사실상 자신의 머릿속 소리에 자꾸 집중하고자 하는 욕구가 있는데, 그렇게 하지 않도록 긴장상태를 유지하며 상대방의 말에 집중하는 훈련이 필요하다는 것이다. 이처럼 자기의 욕구를 억누르고 상대방의 말에 주목하는 훈련을 하는 것은 자기 통제력과 연결될 수 있다. 따라서 빈칸에는 ③ '높은 정도의 자기 통제력'이 적절하다. 자율성이나 창조적인 정신, 혹은 외향적 성격에 대해서는 전혀 언급되지 않았으므로 답이 될 수 없다.

어휘

active listening 능동적 듣기   discipline 훈련   involve 포함하다
ignore 무시하다   task 일   immediately 즉각적으로
process 처리하다   inflection 억양   perceive 인지하다
vigilant 긴장하는   end up -ing 결국 ~하게 되다
autonomy 자율성   mindset 사고방식   extroverted 외향적인
personality 성격

정답 ③

전략 적용하기

① 중심 소재와 주제 파악하기

중심 소재의 근거를 찾고, 주제문을 유추해 보세요.

빈칸 근거	ignoring your own needs, focusing on the person speaking, train yourself to remain vigilant, ignoring your own needs, follow it very closely.
중심 소재	능동적 듣기
주제문	능동적 듣기 기술은 자기통제가 필요하다.

② 선택지를 빈칸에 대입하기

① a ~~sense of autonomy~~ 언급 없음
② a ~~creative mindset~~ 언급 없음
③ a high degree of <u>self-control</u> 주제문을 완성하는 정답
④ an ~~extroverted personality~~ 언급 없음

실전 예제 01

밑줄 친 부분에 들어갈 말로 가장 적절한 것은? 인사혁신처 2차 예시

There is no substitute for oil, which is one reason _____, taking the global economy along with it. While we can generate electricity through coal or natural gas, nuclear or renewables — switching from source to source, according to price — oil remains by far the predominant fuel for transportation. When the global economy heats up, demand for oil rises, boosting the price and encouraging producers to pump more. Inevitably, those high prices eat into economic growth and reduce demand just as suppliers are overproducing. Prices crash, and the cycle starts all over again. That's bad for producers, who can be left holding the bag when prices plummet, and it hurts consumers and industries uncertain about future energy prices. Low oil prices in the 1990s lulled U.S. auto companies into disastrous complacency; they had few efficient models available when oil turned expensive.

① the automobile industry thrives
② it creates disruptions between borders
③ it is prone to big booms and deep busts
④ the research on renewable energy is limited

정답 해설

구조분석 및 해석

01 석유를 대체할 수 있는 것은 없으며, 이것이 세계 경제와 함께 석유가 큰 호황과 깊은 불황을 겪기 쉬운 이유이다.
→ 중심 소재(Topic): 석유의 가격의 급등락
주제문: 석유는 대체제가 없어 가격은 급등락한다.

02 우리는 석탄, 천연가스, 원자력, 재생 가능 에너지를 통해 전기를 생산할 수 있지만 — 가격에 따라 에너지원을 다른 에너지원으로 바꾸면서 — 석유는 운송을 위한 가장 우세한 연료로 남아 있다.
→ 뒷받침: 이유: 석유의 우세적 위치

03 세계 경제가 과열되면, 석유 수요가 증가하고, 이는 가격을 높이고 생산자들이 더 많은 석유를 채굴하도록 부추긴다. 04 필연적으로 높은 유가는 경제 성장을 갉아 먹고 공급자들이 과잉 생산을 하면서 수요는 줄어든다. 05 가격은 폭락하고 이 주기는 다시 반복된다. 06 그것은 가격이 급락할 때 손해를 떠안을 수 있는 생산자들에게 불리하고 미래의 에너지 가격을 확신할 수 없는 소비자와 산업에도 해를 끼친다.
→ 뒷받침: 결과: 경제 상황에 따른 석유 가격의 주기와 그 부작용

07 1990년대의 저유가는 미국 자동차 산업을 재앙적인 안일함에 빠뜨렸다; 석유가 비싸졌을 때 그들은 사용 가능한 효율적인 모델을 거의 가지고 있지 않았다.
→ 뒷받침: 06에서 언급된 영향의 실제 사례(미국 자동차 산업)

① 자동차 산업이 번성한다
② 그것은 국경 간 혼란을 초래한다
④ 재생 가능 에너지에 대한 연구는 제한적이다.

해설

중심 소재는 석유이고 주제문이 빈칸이 있는 첫 문장으로 주제문을 완성하는 문제이다. 주제문을 뒷받침하는 아래 문장들을 통해 석유의 수요 증가, 가격 상승, 과잉 공급, 수요 감소, 가격 급락을 설명하고 이러한 사이클이 반복된다고 말한다. 따라서, 석유 시장의 큰 호황과 깊은 불황의 반복된 사이클을 설명하는 ③ '석유 시장은 큰 호황과 깊은 불황을 겪기 쉽다'가 빈칸에 가장 적합하다.

어휘

substitute 대체물   generate 생성하다   switch 교체하다
according to ~에 따라   predominant 지배적인
transportation 운송   heat up 과열되다   boost 증가시키다
inevitably 필연적으로   eat into 갉아먹다   supplier 공급자
overproduce 과잉 생산하다   crash 폭락하다   cycle 주기
hold the bag (손해를) 떠안다   plummet 급락하다
uncertain 불확실한   lull ~ into 안심시켜 ~하게 하다
disastrous 재앙적인   complacency 안일함
automobile industry 자동차 산업   thrive 번성하다
disruption 붕괴   prone to ~하기 쉽다   big boom 큰 호황
deep bust 깊은 불황

정답 ③

실전 예제 02

출제 유형 05 빈칸 완성 – 전반부 빈칸

밑줄 친 부분에 들어갈 말로 가장 적절한 것은?

> As more and more leaders work remotely or with teams scattered around the nation or the globe, as well as with consultants and freelancers, you'll have to give them more _____. The more trust you bestow, the more others trust you. I am convinced that there is a direct correlation between job satisfaction and how empowered people are to fully execute their job without someone shadowing them every step of the way. Giving away responsibility to those you trust can not only make your organization run more smoothly but also free up more of your time so you can focus on larger issues.

① work
② rewards
③ restrictions
④ autonomy

정답 해설

구조분석 및 해석

> **01** 점점 더 많은 리더들이 멀리 떨어져서 혹은 전국이나 전 세계에 분산되어있는 팀, 그리고 컨설턴트 및 프리랜서와 함께 일하게 되면서, 당신은 그들에게 더 많은 자율권을 주어야 할 것이다.
> → 중심 소재(Topic): 직원 관리 방식
> 주제문: 핵심 주장: 직원에게 더 많은 자율권을 주어야 한다.
>
> **02** 당신이 더 많은 신뢰를 줄수록, 더 많은 사람들이 당신을 신뢰한다. **03** 직업 만족도와 권한을 부여받은 사람들이 모든 과정 동안 자신들을 따라다니는 사람 없이 그들 자신의 일을 어떻게 완벽히 수행해 내는지 사이에 직접적인 상관관계가 있다고 나는 확신한다. **04** 당신이 신뢰하는 사람들에게 책임을 넘기는 것은 당신의 조직을 더 순조롭게 돌아가도록 할 뿐 아니라 당신이 더 중요한 사안들에 집중할 수 있도록 더 많은 시간을 확보해줄 수도 있다.
> → 뒷받침: 부연: 자율권을 줄 때 생기는 장점
> 1. 상호 신뢰 증가
> 2. 직업 만족도 증가
> 3. 순조로운 운영

① 일
② 보상
③ 제약

해설

글의 초반에 빈칸이 있으므로 주제문을 완성하는 유형의 문제이다. 빈칸 이후에 제시되는 부연에서 근거를 찾으면 된다. 첫 문장에서는 리더가 각지에 분산된 직원들 및 외부에서 채용한 사람들과 일하게 될 때 가져야 할 운영 전략이나 태도를 설명한다. 그런 다음, 직원에게 더 많은 믿음을 주면 더 많은 신뢰를 얻고, 그들을 일일이 간섭하지 않고 업무를 맡겨주는 만큼 직업 만족도가 올라가며, 책임을 부여해주면 조직이 더 잘 돌아간다고 부연한다. 즉, 직원을 신뢰해서 자율권을 늘려주면 여러 가지 장점이 있다는 것이다. 따라서 빈칸에 들어갈 말로 가장 적절한 것은 ④ '자율권'이다. ②는 언급되지 않았고 ③은 글의 주제와 정반대 내용이어서 모두 답이 될 수 없다.

어휘

remotely 멀리 떨어져서 **scatter** 분산시키다 **bestow** 주다
convince 확신시키다 **correlation** 상관관계 **empower** 권한을 주다
execute 수행하다 **shadow** 따라다니다
every step of the way 모든 과정 동안
free up (특정한 목적을 위해) ~을 확보하다 **reward** 보상
restriction 제약 **autonomy** 자율권

정답 ④

출제유형 05 빈칸 완성 - 중간 빈칸

독해공식 10 · 중간 빈칸

- 글 중간에 있는 빈칸에 들어갈 말을 문맥을 통해 추론하는 문제 유형이다.

풀이 전략

Step 1 전반부의 내용을 파악하여 글의 중심 소재(topic)를 파악하라!

Step 2 빈칸에 들어갈 추상적인 개념에 대해 구체적으로 설명(부연 설명/예시)하는 빈칸 뒤의 문장을 통해 근거를 찾아라!

Step 3 근거 문장에서 찾아낸 핵심어나 이를 바꾸어 쓴 표현이 있는 선택지를 정답으로 골라야 한다!

쌤's TIP
글의 요지에 부합하고 빈칸 앞뒤의 문맥이 자연스러운지 확인합니다. 소재와 무관하거나 내용과 불일치한 선택지, 정답과 반대되는 선택지는 소거하세요.

적용 예시

밑줄 친 부분에 들어갈 말로 적절한 것은? 2024 지방직 9급

Cost pressures in liberalized markets have different effects on existing and future hydropower schemes. Because of the cost structure, existing hydropower plants will always be able to earn a profit. Because the planning and construction of future hydropower schemes is not a short-term process, it is not a popular investment, in spite of low electricity generation costs. Most private investors would prefer to finance _____, leading to the paradoxical situation that although an existing hydropower plant seems to be a cash cow, nobody wants to invest in a new one. Where public shareholders/owners (states, cities, municipalities) are involved, the situation looks very different because they can see the importance of the security of supply and also appreciate long-term investments.

① more short-term technologies
② all high technology industries
③ the promotion of the public interest
④ the enhancement of electricity supply

116 Part 4 독해

구조분석 및 해석

01 <mark>Cost pressures in liberalized markets have different effects on existing and future hydropower schemes.</mark>
01 자유화된 시장에서의 비용 압박은 현재와 미래의 수력발전 계획에 각기 다른 영향을 끼친다.
→ 중심 소재(Topic): 수력 발전소
주제문: 비용 압박은 기존 및 미래 수력 발전에 다르게 작용한다.

02 Because of the cost structure, existing hydropower plants will always be able to earn a profit. **03** Because the planning and construction of future hydropower schemes is not a short-term process, it is not a popular investment, in spite of low electricity generation costs.
02 비용 구조 때문에 현재의 수력 발전소는 항상 이윤을 낼 수 있다. **03** 미래 수력발전 계획의 기획과 건설은 단기적 과정이 아니기 때문에, 낮은 전력 발전 비용에도 불구하고 그것은 인기 있는 투자가 아니다.
→ 뒷받침: 기존은 안정적 수익 구조, 신규는 투자 기피 대상

04 Most private investors would prefer to finance more short-term technologies, leading to the paradoxical situation that although an existing hydropower plant seems to be a cash cow, nobody wants to invest in a new one.
04 대부분의 개인 투자자들은 더 단기적인 기술에 자금을 대기를 선호할 것이며, 이는 비록 현재의 수력 발전소가 돈벌이가 되는 것으로 보이지만, 아무도 새로운 발전소에는 투자하기를 원하지 않는 역설적 상황을 만들고 있다.
→ 뒷받침 1: 현재의 수력 발전은 수익성 있음에도, 개인 투자자는 신규 수력 발전에 투자 기피

05 Where public shareholders/owners (states, cities, municipalities) are involved, the situation looks very different because they can see the importance of the security of supply and also appreciate long-term investments.
05 공공 주주/소유자(국가, 도시, 지방 자치제 등)들이 관여하는 경우, 이들은 공급 안정의 중요성을 인식하고 장기적인 투자를 중시하므로, 상황은 매우 다르게 보일 수도 있다.
→ 뒷받침 2: 개인 투자자와 달리, 공공 부문은 장기적 수력 발전에 투자 가능
→ 뒷받침 3: 개인과 달리 공공 부문은 장기 수력 발전을 중시하고 투자함

② 모든 첨단 기술 산업
③ 공공 이익의 증진
④ 전기 공급의 강화

해설

수력 발전(hydropower)이라는 글의 중심 소재가 제시되는 첫 번째 문장이 주제문이다. 비용 압박으로 인해 현재와 미래의 수력 발전 계획에 서로 다른 영향을 준다고 제시한다. Because로 이어진 이후의 두 문장에서는 이 다른 영향이 무엇인지에 대해 설명한다. 수력 발전은 항상 이윤을 낼 수 있다는 긍정적 면모와, 하지만 그 계획의 장기성으로 인해 투자를 많이 받지 못한다는 부정적 면모를 갖는다. 이후에서는 이를 개인 투자자와 공공 투자자의 두 가지 면에서 살펴보는데, 개인 투자자는 빈칸의 문제로 인해, 수력 발전이 돈을 벌어줄 수 있다고 해도 아무도 새로 이 투자하기를 원하지 않는다고 설명한다. 따라서 빈칸에는 수력 발전의 부정적인 면에 대해 들어가야 한다. 따라서 '더 단기적인 기술'에 투자하기를 원한다는 ①이 정답으로 적합하다.

어휘

pressure 압박 liberalized market 자유화된 시장
have an effect on ~에 영향을 끼치다 existing 현재의
hydropower 수력 발전 scheme 계획 plant 발전소
construction 건설 short-term 단기간의
electricity generation 전력 발전 finance 자금을 대다
paradoxical 역설적인 cash cow 돈벌이가 되는 것
shareholder 주주 municipality 지방 자치제
long-term 장기간의 promotion 증진 interest 이익
enhancement 강화

정답 ①

전략 적용하기

❶ 빈칸 앞뒤 문장에서 근거 찾기

빈칸 앞뒤 문장에서 빈칸의 근거를 찾아 적으세요.

| 빈칸 근거 | not a short-term process, not a popular investment, nobody wants to invest in a new one. |

❷ 선택지를 빈칸에 대입하기

근거를 종합해서 정답을 찾으세요.

① more short-term technologies
   ↔ long-term investments.
② all ~~high technology industries~~ 언급 없음
③ the promotion of ~~public interest~~ 언급 없음
④ the enhancement of ~~electricity supply~~ 언급 없음

실전 예제 01

출제 유형 05 빈칸 완성 – 중간 빈칸

밑줄 친 부분에 들어갈 말로 적절한 것은? 2025 국가직 9급

The holiday season is a time to give thanks, reflect on the past year, and spend time with family and friends. However, if you're not careful, it can also be a time you overspend on holiday purchases. People have an innate impulse to overspend, experts say. They are "wired" to be consumers. The short-term gratification of giving gifts to loved ones can eclipse the long-term focus that's needed to be good with money. That's where many people fall short. We can overspend because our long-term goals are much more abstract, and it actually requires us to do extra levels of cognitive processing to delay instant gratification. Additionally, consumers may feel _____ because they don't want to appear "cheap." Many companies also promote deals during the holidays that can encourage people to spend more than usual.

① a desire to work at overseas companies
② responsible for establishing their long-term goals
③ like limiting their spending during the holiday season
④ the social pressure to spend more than they might like

어휘

overspend 과소비하다 purchase 구매 innate 내적인
impulse 충동 be wired to (선천적으로) ~하도록 되어 있다
gratification 만족 eclipse 가리다 fall short 부족하다
abstract 추상적인 cognitive 인지적인 processing 처리
delay 지연시키다 instant 즉각적인 cheap 인색한
promote 홍보하다 overseas 해외의 establish 확립하다
pressure 압력

정답 해설

구조분석 및 해석

01 연휴 기간은 감사를 전하고, 지난 한 해를 되돌아보며, 가족 및 친구들과 시간을 보내는 시기이다. 02 그러나 주의하지 않으면 연휴 쇼핑에 과도하게 지출하는 시기가 될 수 있다.

→ **중심 소재(Topic)**: 연휴 시즌의 소비
주제문: 연휴에 과소비를 할 수 있다.

03 전문가들은 사람은 과도하게 지출하려는 내적 충동이 있다고 말한다.
04 사람들은 선천적으로 소비자가 되도록 되어 있다는 것이다.

→ **뒷받침: 이유 1**: 소비 본능

05 사랑하는 사람에게 선물을 주는 짧은 시간의 만족감이 돈을 잘 다루는 데 필요한 장기적인 초점을 가릴 수 있다. 06 이 지점에서 많은 사람들이 부족하다. 07 우리는 장기적인 목표가 훨씬 더 추상적이기 때문에 과도하게 지출할 수 있으며, 즉각적인 만족을 미루기 위해서 사실상 이것은 우리에게 추가적인 인지적 처리 단계를 실행하도록 요구한다.

→ **뒷받침: 이유 2**: 즉각적 만족 추구

08 또한 소비자들은 자신이 "인색한" 것처럼 보이기 싫어서 그들이 원하는 것보다 더 많이 소비하도록 하는 사회적 압박을 느낄 수 있다.

→ **뒷받침: 이유 3**: 사회적 압박

09 또한 많은 기업들은 연휴 동안 사람들이 평소보다 더 많이 지출하도록 유도하는 할인 행사를 홍보하기도 한다.

→ **뒷받침: 이유 4**: 기업의 마케팅

① 해외에서 일하고자 하는 열망을
② 장기적인 목표를 설정하는 책임을
③ 휴가철 동안 지출을 줄이고 싶은 기분을

해설

이 글의 중심 소재는 연휴 기간의 과소비이며 주제문은 두 번째 문장으로, 주의하지 않으면 연휴에 과도한 지출을 한다는 내용이다. 빈칸은 Additionally로 시작해서 소비자들이 '인색한' 것처럼 보이고 싶지 않아서 '어떤' 기분을 느낀다고 했으므로, 두 번째 문장의 주제문과, '어떤' 기분을 느끼게 하는 또 다른 이유가 제시된 부분을 근거로 삼아야 한다. 우선 글의 구조를 살펴보면 중심 소재 이후에는 사람들이 연휴 기간동안 과소비를 하는 다양한 이유가 등장한다. 그 이유란 내적 충동이 있고 장기적 목표가 추상적일 수도 있으며 과소비를 멈추기 위해서는 추가적 인지 활동이 필요하기 때문이라는 것이다. 그 다음번 이유가 빈칸의 내용이며, 그 외에도 기업의 홍보로 인해 과소비를 할 수도 있다는 마지막 이유로 글이 마무리된다. 빈칸의 근거를 찾기 위해서는 '연휴 기간 동안에 과도한 지출을 할 수 있다'는 주제문의 내용과, 빈칸 뒤에서 이어지는 because 이후를 봐야 하는데, 사람들이 "인색한" 것처럼 보이기를 원치 않는다는 이유로 빈칸을 한다고 했으므로 이는 ④ '그들이 원하는 것보다 더 많이 소비하도록 하는 사회적 압박을' 느낀다는 내용과 이어진다. 따라서 정답은 ④이다.

정답 ④

실전 예제 02

출제 유형 05 빈칸 완성 – 중간 빈칸

밑줄 친 부분에 들어갈 말로 가장 적절한 것은?

How many different ways do you get information? Some people might have six different kinds of communications to answer — text messages, voice mails, paper documents, regular mail, blog posts, messages on different online services. Each of these is a type of in-box, and each must be processed on a continuous basis. It's an endless process, but it doesn't have to be exhausting or stressful. Getting your information management down to a more manageable level and into a productive zone starts by _____. Every place you have to go to check your messages or to read your incoming information is an in-box, and the more you have, the harder it is to manage everything. Cut the number of in-boxes you have down to the smallest number possible for you still to function in the ways you need to.

① setting several goals at once
② immersing yourself in incoming information
③ minimizing the number of in-boxes you have
④ choosing information you are passionate about

정답 해설

구조분석 및 해석

01 당신이 정보를 얻는 다양한 방법은 몇 가지나 될까?
→ 중심 소재(Topic): 정보 관리

02 어떤 사람들은 답해야 할 여섯 가지 서로 다른 의사소통 방식을 가지고 있을 수 있다 — 문자, 음성 메시지, 종이 문서, 일반 우편, 블로그 포스팅, 다양한 온라인 서비스의 메시지 등.
→ 01 ~ 02 정보를 얻는 방법(In-box)의 유형

03 이 모든 것들은 일종의 문서함이며, 각각은 지속적으로 처리되어야만 한다. 04 이는 끝없는 과정이지만, 지치거나 스트레스받을 필요는 없다.
→ In-box의 특성

05 정보 관리를 더 관리할 수 있는 수준으로 낮추고 생산적인 영역으로 진입하게 하는 것은 당신이 가진 문서함의 수를 최소화함으로써 시작된다.
→ 주제문: 핵심 정보: 정보를 더 잘 관리하려면 문서함의 수를 최소화하라.

06 메시지를 확인하거나 수신된 정보를 읽기 위해 가야 할 모든 장소가 문서함이며, 이러한 문서함의 수가 많을수록 모든 것을 관리하기가 더 어려워진다.
→ 뒷받침: 부연: in-box의 정의와 많을수록 관리가 어려워짐

07 필요한 방식으로 당신이 계속 일할 수 있도록 하기 위해 당신이 가진 문서함의 수를 가장 최소한의 수로 줄이도록 해라.
→ 주제 재진술: 필요한 방식으로 계속 일하려면 문서함의 수를 최소화하라.

① 동시에 여러 개의 목표를 세움
② 당신을 수신되는 정보 속에 몰두시킴
④ 당신이 열정을 쏟을 수 있는 정보를 선택함

해설

중심 소재는 정보 관리이며 중간에 빈칸이 있는 문제 유형이다. 이러한 문제는 빈칸 뒤에서 오는 부연 설명을 통해 빈칸의 내용을 유추할 수 있다. 빈칸의 문장에서는 당신의 정보를 당신이 관리할 수 있는 수준까지 유지하기 위해서는 빈칸의 방법을 통해 시작하면 된다고 말한다. 그리고 빈칸 뒤에서는 그러한 방법이 무엇인지에 대해 부연 설명을 하고 있다. 부연 설명에 의하면 당신이 확인해야 하는 정보들이 들어오는 경로들을 in-box(문서함)라고 할 수 있다고 in-box의 개념을 설명한 뒤, 이러한 문서함의 수를 최소한으로 줄이라고 조언한다. 따라서 문서함의 수를 줄이라는 내용이 빈칸에 와야 하므로 정답은 ③ '당신이 가진 문서함의 수를 최소화함'이다. ②는 본문과는 반대의 내용이며, ①과 ④는 언급되지 않았다.

어휘

in-box 문서함 process 처리하다
on a continuous basis 지속적으로 endless 끝없는
exhaust 지치게 하다 manageable 관리할 수 있는
productive 생산적인 function 기능하다 at once 동시에
immerse 몰두하게 하다 incoming 들어오는 minimize 최소화하다
passionate 열정적인

정답 ③

출제유형 05 빈칸 완성 – 후반부 빈칸

독해공식 11   후반부 빈칸

- 글 후반부에 있는 빈칸에 들어갈 말을 문맥을 통해 추론하는 문제 유형이다.

풀이 전략

- **Step 1** 글의 전반부에서 중심 소재(topic)와 핵심 의견(idea)을 찾아라!
- **Step 2** 후반부 빈칸은 주제문을 완성하거나 주제문을 재진술한다는 점을 기억하라!
- **Step 3** 전반부에서 찾은 주제문과 일맥상통하는 내용이 될 수 있는 선택지를 골라야 한다!

쌤's TIP

소재와 무관하거나 내용과 불일치한 선택지, 정답과 반대되는 선택지는 소거합니다. 주제문의 내용이 변형된 형태로 빈칸에 들어갈 수도 있으므로 핵심어의 paraphrase에도 주의해야 합니다.

적용 예시

밑줄 친 부분에 들어갈 말로 적절한 것은?   2024 지방직 9급

Javelin Research noticed that not all Millennials are currently in the same stage of life. While all Millennials were born around the turn of the century, some of them are still in early adulthood, wrestling with new careers and settling down. On the other hand, the older Millennials have a home and are building a family. You can imagine how having a child might change your interests and priorities, so for marketing purposes, it's useful to split this generation into Gen Y.1 and Gen Y.2. Not only are the two groups culturally different, but they're in vastly different phases of their financial life. The younger group is financial beginners, just starting to show their buying power. The latter group has a credit history, may have their first mortgage and is raising young children. The _____ in priorities and needs between Gen Y.1 and Gen Y.2 is vast.

① contrast
② reduction
③ repetition
④ ability

구조분석 및 해석

01
Javelin Research noticed that not all Millennials are currently in the same stage of life.
01 Javelin 연구는 모든 밀레니얼 세대가 현재 같은 인생 단계에 있는 것은 아니라는 데 주목했다.
→ 중심 소재(Topic): 밀레니얼 세대
  주제: 밀레니얼 세대 내에 차이가 존재한다.

02
While all Millennials were born around the turn of the century, some of them are still in early adulthood, wrestling with new careers and settling down. **03** On the other hand, the older Millennials have a home and are building a family. **04** You can imagine how having a child might change your interests and priorities, so for marketing purposes, it's useful to split this generation into Gen Y.1 and Gen Y.2.
02 모든 밀레니얼 세대가 세기의 전환 무렵에 태어나기는 했지만, 그들 중 일부는 여전히 성인 초기 단계로서, 새로운 직업과 씨름하고 정착하는 중이다. 03 반면에, 나이가 더 많은 밀레니얼 세대는 가정이 있고 가족을 꾸리고 있다. 04 자녀가 생기면 여러분의 관심사와 우선순위가 어떻게 달라지는지 상상할 수 있으므로, 마케팅 목적을 위해, 이 세대를 Y.1 세대와 Y.2 세대로 나누는 것이 유용하다.
→ 구분 기준 1: 삶의 단계(초기 성인기 vs. 가족 형성기)

05
Not only are the two groups culturally different, but they're in vastly different phases of their financial life. **06** The younger group is financial beginners, just starting to show their buying power. **07** The latter group has a credit history, may have their first mortgage and is raising young children.
05 두 집단은 문화적으로 다를 뿐 아니라, 그들은 재정 생활에서도 엄청나게 다른 단계에 놓여 있다. 06 더 어린 집단은 재정적인 면에서 초심자로서, 자기들의 구매력을 막 과시하기 시작한다. 07 후자의 집단은 신용 기록이 있고 첫 번째 담보 대출을 받았을 수도 있으며 어린 자녀를 기르고 있다.
→ 구분 기준 2: 재정 상태

08
The contrast in priorities and needs between Gen Y.1 and Gen Y.2 is vast.
08 우선순위와 필요 면에서, Y.1 세대와 Y.2 세대 사이의 차이는 엄청나다.
→ 주제문 재진술: 우선순위와 필요의 차이 강조

② 감소
③ 반복
④ 능력

해설

글의 중심 소재는 밀레니얼 세대이고 주제문은 첫 번째 문장으로 밀레니얼 세대 내에 차이가 존재한다고 주장한다. 빈칸이 마지막에 있으므로 마지막 문장은 주제를 재진술하거나 구체적으로 보강하는 내용일 가능성이 크다. 첫 문장에서 주제를 제시하고 두 번째 문장부터 부연 설명이 이어져, 밀레니얼 세대는 성인 초기에 속하는 집단과 가정을 이루는 집단으로 구분되고 이들을 Y.1 세대와 Y.2 세대로 나눌 수 있다고 설명한다. 또한 이 둘은 관심사와 우선순위가 다르고 재정적인 면에서도 차이를 보인다고 한다. 따라서 두 세대 차이의 특성을 설명하는 빈칸에는 ① '차이'가 들어가는 것이 가장 적절하다.

어휘

notice 주목하다 Millennials 밀레니얼 세대 currently 현재
turn 전환 adulthood 성인 wrestle with ~으로 씨름하다
settle down 정착하다 priority 우선순위 purpose 목적
split 나누다 generation 세대 vastly 엄청나게 phase 단계
financial 재정적인 credit history 신용 기록
mortgage 담보 대출 contrast 차이 reduction 감소
repetition 반복 ability 능력

정답 ①

전략 적용하기

❶ 주제문/결론 추론하기
글의 요지를 파악하고 결론이 있는 빈칸 문장을 해석해 보세요.

중심문/요지	밀레니얼 세대 내에 차이가 존재한다.
결론	Y.1 세대와 Y.2 세대 사이의 차이는 엄청나다.

❷ 선택지를 빈칸에 대입하기
① contrast 결론을 완성하는 정답
② reduction 언급 없음
③ repetition 언급 없음
④ ability 언급 없음

실전 예제 01

다음 빈칸에 들어갈 말로 가장 적절한 것은?

The seeds of willows and poplars are so minuscule that you can just make out two tiny dark dots in the fluffy flight hairs. One of these seeds weighs a mere 0.0001 grams. With such a meagre energy reserve, a seedling can grow only 1–2 millimetres before it runs out of steam and has to rely on food it makes for itself using its young leaves. But that only works in places where there's no competition to threaten the tiny sprouts. Other plants casting shade on it would extinguish the new life immediately. And so, if a fluffy little seed package like this falls in a spruce or beech forest, the seed's life is over before it's even begun. That's why willows and poplars _____ _____.

*minuscule 아주 작은

① prefer settling in unoccupied territory
② have been chosen as food for herbivores
③ have evolved to avoid human intervention
④ wear their dead leaves far into the winter

구조분석 및 해석

01 버드나무와 포플러나무의 씨앗은 너무나 작아서 솜털 같은 날리는 털에서 두 개의 작은 검은 점을 겨우 알아볼 수 있을 뿐이다.
→ 중심 소재(Topic): 버드나무와 포플러나무 씨앗

02 이 씨앗 중 하나는 무게가 겨우 0.0001그램밖에 나가지 않는다.
03 그처럼 불충분한 에너지 비축분을 가진 묘목은 고작 1-2밀리미터밖에 자라지 못하고 기력이 떨어지므로 어린 나뭇잎을 이용해서 스스로 만들어 내는 영양분에 의존해야만 한다.
→ 01 ~ 03 버드나무와 포플러나무 씨앗의 적은 에너지 특징

04 하지만 그것은 작은 싹을 위협하는 경쟁 상대가 없는 장소에서만 효과가 있다. **05** 묘목에 그늘을 드리우는 다른 식물들은 새로운 생명체를 금세 죽게 할 것이다. **06** 그래서, 만약 이처럼 솜털 같은 작은 씨앗 무더기가 가문비나무 숲이나 너도밤나무 숲에 떨어지면, 그 씨앗의 생명은 미처 시작되기도 전에 끝난다.
→ 버드나무와 포플러나무 씨앗 생장의 한계

07 그런 이유로 버드나무와 포플러나무는 임자 없는 땅에 정착하는 것을 선호한다.
→ 결론: 버드나무와 포플러나무는 다른 나무가 없는 곳에서 자란다.

② 초식동물의 먹이로 선택되었다
③ 인간의 개입을 피하기 위해 진화했다
④ 죽은 나뭇잎을 한겨울까지 붙이고 있다

해설

중심 소재는 버드나무와 포플러나무의 씨앗이고, 마지막에 빈칸이 있으므로 주제문, 결론, 핵심 내용 등을 완성하는 문제이다. 처음에는 두 나무의 씨앗이 너무 작고 에너지 비축분이 적어서 어린 나뭇잎이 만드는 영양분에 의존해서 자생해야 한다고 설명한다. 그러나 이 방법은 주변에 다른 식물이 없을 때만 효과적이라는 한계가 있다고 한다. 그러므로 두 나무는 다른 나무들이 없는 곳에서 살아야 한다는 결론을 유추할 수 있다. 따라서 빈칸에 들어갈 것은 ① '임자 없는 땅에 정착하는 것을 선호한다'가 가장 적절하다. ②의 초식동물이나 ③의 인간의 개입 ④의 계절에 관한 내용은 언급되지 않았으므로 답이 될 수 없다.

어휘

seed 씨앗　willow 버드나무　poplar 포플러나무
make out ~을 알아보다　fluffy 솜털 같은　flight hair 날리는 털
weigh 무게가 ~이다　mere 겨우　meagre 불충분한　reserve 비축분
seedling 묘목　run out of steam 기력이 다하다
rely on ~에 의존하다　food 영양분　competition 경쟁 상대
threaten 위협하다　sprout 싹　cast 드리우다
extinguish 죽게 하다　spruce 가문비나무　beech 너도밤나무
unoccupied 임자 없는　territory 땅　herbivore 초식동물
evolve 진화하다　avoid 피하다　intervention 개입

정답 ①

실전 예제 02

출제 유형 05 빈칸 완성 – 후반부 빈칸

밑줄 친 부분에 들어갈 말로 가장 적절한 것은?

> ⁰¹A biology teacher cannot teach macro-nutrients, without understanding the basics of organic chemistry. ⁰²The teacher can discuss various scales of measuring temperature while teaching the use of a thermometer. ⁰³If students want to know the temperature in Kelvin or Fahrenheit after learning the body temperature of a healthy human is 37°C, the teacher can satisfy the students only if he or she knows the process of converting one scale of temperature to another. ⁰⁴Similarly, a chemistry teacher when teaching macro-nutrients should understand the human digestive system to be able to explain their concepts effectively by relating the topic to the life experiences of the learners. ⁰⁵Thus, all branches of science _____.

① cannot be taught and learned in isolation
② converge on knowledge of organic chemistry
③ are interrelated with each learner's experiences
④ should be acquired with the basics of chemistry

정답 해설

🔺 구조분석 및 해석

⁰¹생물 교사는 유기 화학의 기초를 이해하지 못한 채 대량 영양소를 가르칠 수 없다.
→ **중심 소재(Topic)**: 통합적 과학 지식의 필요성

⁰²교사는 온도계 사용법을 가르치면서 온도를 측정하는 다양한 기준을 토론할 수 있다. ⁰³만약 학생이 건강한 사람의 체온이 37°C라는 것을 배운 뒤에 켈빈 온도 또는 화씨로 그 온도를 알고 싶어 하면, 교사는 온도의 한 가지 기준을 다른 기준으로 전환하는 과정을 알아야만 학생을 만족시킬 수 있다.
→ **예시 1**: 생물교사: 화학 기초 지식 필요

⁰⁴**마찬가지로**, 화학 교사가 대량 영양소를 가르칠 때 이 주제를 학습자의 삶의 경험에 연관시킴으로써 이러한 개념을 효과적으로 설명할 수 있기 위해서는 인간의 소화기 계통을 이해해야 한다.
→ **예시 2**: 화학교사: 생물학 지식 필요

⁰⁵**따라서**, 과학의 모든 분야는 개별적으로 가르치거나 학습될 수 없다.
→ **주제문**: 모든 과학 분야는 통합적 교육과 학습이 필요하다.

② 유기 화학의 지식으로 모여든다
③ 각 학습자의 경험들과 상호 관련이 있다
④ 화학적 기초와 습득되어야 한다

해설

두 개의 예시(생물학과 화학)를 제시하고, 이를 통합한 결론을 마지막에 제시하는 구조의 글이므로, 예시를 잘 읽고 공통의 주제를 파악하면 빈칸을 유추할 수 있다. 두 가지 예시에서 모두 교사가 자신의 전공 지식뿐 아니라 다른 과학적 지식이 있어야 한다고 설명한다. 즉, 과학 교사는 통합적인 지식을 갖추고 학생을 교육해야 한다는 것이다. 따라서 정답은 ① '개별적으로 가르치거나 학습될 수 없다'이다.

어휘

biology 생물　**macro-nutrient** 대량 영양소
organic chemistry 유기 화학　**measure** 측정하다
temperature 온도　**thermometer** 온도계　**Kelvin** 켈빈 온도
Fahrenheit 화씨 온도　**convert** 변환하다　**chemistry** 화학
digestive system 소화기 계통　**branch** 분야　**in isolation** 별개로
converge 모이다　**interrelated** 서로 관계있는　**acquire** 배우다

정답 ①

출제유형 05 빈칸 완성 – 연결어 넣기

독해공식 12 연결어 넣기

- 앞 문장과 다음 문장을 연결하는 적절한 연결어를 찾는 문제 유형이다.

풀이 전략

Step 1 빈칸 앞뒤 문장의 논리적 관계를 파악하라!
Step 2 글 전체의 흐름을 확인하라!
Step 3 선택지를 빈칸에 대입하라!

쌤's TIP
글의 흐름을 자연스럽고 논리적으로 만드는 선택지를 고르세요.

연결어 넣기 유형엔 이런 어휘!

부가, 첨가	In addition / Moreover / Besides / Also / Additionally / What's more 게다가 Furthermore 더욱이
재진술	In other words / That is 다른 말로 하면
예시	For example / For instance / To illustrate 예를 들어
비교, 비유, 유사	Similarly / Likewise / In the same way 마찬가지로
강조	Specifically 구체적으로 In fact / Indeed 사실상
결과	So / Consequently / Therefore / As a result / Hence / Thus / Accordingly 따라서
결론, 요약	In conclusion 결론적으로 In summary / To sum up / In a nutshell / In short 요약하면
역접	But / Yet / Still / However 그러나/하지만 Nevertheless 그럼에도 불구하고 Nonetheless 그렇기는 하지만
대조	On the contrary / In contrast / By contrast 대조적으로 On one hand 한편 On the other hand 다른 한편/반면에 Conversely 반대로
대안	Instead / Rather 대신

적용 예시

(A)와 (B)에 들어갈 말로 가장 적절한 것은?

Ancient philosophers and spiritual teachers understood the need to balance the positive with the negative, optimism with pessimism, a striving for success and security with an openness to failure and uncertainty. The Stoics recommended "the premeditation of evils," or deliberately visualizing the worst-case scenario. This tends to reduce anxiety about the future: when you soberly picture how badly things could go in reality, you usually conclude that you could cope. ____(A)____, they noted, imagining that you might lose the relationships and possessions you currently enjoy increases your gratitude for having them now. Positive thinking, ____(B)____, always leans into the future, ignoring present pleasures.

	(A)	(B)
①	Nevertheless	in addition
②	Furthermore	for example
③	Besides	by contrast
④	However	in conclusion

구조분석 및 해석

01
Ancient philosophers and spiritual teachers understood the need to balance the positive with the negative, optimism with pessimism, a striving for success and security with an openness to failure and uncertainty.
01 고대 철학자들과 영적 지도자들은 긍정과 부정, 낙관주의와 비관주의, 성공과 안정에 대한 노력과 실패와 불확실성에 대한 수용의 균형을 맞춰야 할 필요성을 알고 있었다.
→ 중심 소재(Topic): 균형의 필요성
주제문: 핵심 정보: 서로 반대되는 것들 사이에서 균형을 잡아야 한다.

02
The Stoics recommended "the premeditation of evils," or deliberately visualizing the worst-case scenario.
02 스토아학파의 학자들은 '비관적인 사색', 즉 최악의 시나리오를 의도적으로 시각화하는 것을 추천했다.
→ 뒷받침: 예시: 스토아학파의 비관적인 사색

03
This tends to reduce anxiety about the future: when you soberly picture how badly things could go in reality, you usually conclude that you could cope.
03 이것은 미래에 대한 불안을 줄이는 경향이 있다. 실제로 상황이 얼마나 좋지 않게 진행될지를 냉정하게 상상해 볼 때, 보통 당신은 대처할 수 있다는 결론을 내린다.
→ 부정적 상상 ➡ 미래의 불안 감소(긍정적 결과)

04
(A) Besides, they noted, imagining that you might lose the relationships and possessions you currently enjoy increases your gratitude for having them now.
04 (A) 뿐만 아니라, 당신이 현재 누리고 있는 인간관계와 재산을 잃을지도 모른다고 상상하는 것은 지금 그것들을 가지고 있는 것에 대해 감사하는 마음을 키워준다고, 학자들은 지적했다.
→ 부정적 상상 ➡ 현재에 대한 감사(긍정적 결과)

05
Positive thinking, (B) by contrast, always leans into the future, ignoring present pleasures.
05 (B) 대조적으로, 긍정적 사고는 항상 미래에 의지하고, 현재의 즐거움을 무시한다.
→ 긍정적 사고 ➡ 현재의 즐거움 무시(부정적 결과)

	(A)	(B)
①	그럼에도 불구하고	게다가
②	게다가	예를 들면
④	그러나	결론적으로

해설

첫 번째 문장이 주제문으로 고대 철학자들과 영적 지도자들이 강조하는 균형의 필요성에 대해 설명하는 글이다. 이에 대한 예시로 스토아학파 학자들의 사상인 '비관적인 사색'을 추천한다. (A)의 앞에서, 이 사색은 좋지 않은 상황을 미리 상상하여 미래에 대한 불만 감소라는 긍정적 결과를 낳게 된다고 말한다. 그리고 (A)의 뒤에서, 이 사색은 현재 누리는 것을 잃어버리게 될 상황을 상상하여 현재에 대한 감사를 키운다고 설명한다. 이처럼 부정적인 생각을 통해 긍정적인 결과를 한번 제시하고 또 제시하므로 빈칸에는 첨가의 연결어 Furthermore나 Besides가 적합하다. (B) 이후에서는 이와 반대로 긍정적인 사고가 미래에만 의지하고 현재의 즐거움을 무시하게 한다고 설명한다. 즉 긍정적으로 사고하는 것이 현재의 즐거움을 즐기지 못하게 하며 미래만 보도록 하는 부정적 결과를 낳게 된다는 것이다. 따라서 (B)에는 대조의 연결어 by contrast가 오는 것이 적절하다. 그러므로 이 두 가지 모두를 포함하는 ③이 정답이다.

어휘

philosopher 철학자 spiritual 영적인 optimism 낙관주의 pessimism 비관주의 strive 노력하다 security 안정 openness 수용 uncertainty 불확실성 The Stoics 스토아학파 recommend 추천하다 the premeditation of evils 비관적인 사색: 스토아학파에서 아침에 하는 일종의 명상 수련으로 앞으로 닥칠 최악의 순간을 예상해보는 것 deliberately 의도적으로 anxiety 불안 soberly 냉정하게 picture 상상하다 conclude 결론을 내리다 cope 대처하다 possession 재산 currently 현재 gratitude 감사 lean into ~에 의지하다

정답 ③

전략 적용하기

❶ 빈칸 앞뒤 문장 관계 파악하기
빈칸 앞 문장과 뒤 문장의 논리 관계를 파악해서 쓰세요.

빈칸 (A) 앞뒤 관계	첨가
빈칸 (B) 앞뒤 관계	대조

❷ 선택지를 빈칸에 대입하기
선택지를 읽고 가능성이 있는 연결어를 골라 종합해서 정답을 고르세요.

	(A)	(B)
①	Nevertheless 역접	in addition 첨가
②	Furthermore 첨가	for example 예시
③	**Besides** 첨가	**by contrast** 대조
④	However 역접	in conclusion 결론

실전 예제 01

출제 유형 05 빈칸 완성 – 연결어 넣기

(A)와 (B)에 들어갈 말로 가장 적절한 것은?

> Scientists are working on many other human organs and tissues. For example, they have successfully generated, or grown, a piece of liver. This is an exciting achievement since people cannot live without a liver. In other laboratories, scientists have created a human jawbone and a lung. While these scientific breakthroughs are very promising, they are also limited. Scientists cannot use cells for a new organ from a very diseased or damaged organ. _____(A)_____, many researchers are working on a way to use stem cells to grow completely new organs. Stem cells are very simple cells in the body that can develop into any kind of complex cells, such as skin cells or blood cells and even heart and liver cells. _____(B)_____, stem cells can grow into all different kinds of cells.

(A)	(B)
① Specifically	For example
② Additionally	On the other hand
③ Consequently	In other words
④ Accordingly	In contrast

정답 해설

구조분석 및 해석

01 **과학자들은 다른 많은 인간 장기와 조직을 연구하는 중이다.**
→ 중심 소재(Topic): 장기와 조직 연구
주제문: 핵심 정보: 과학자들이 인간의 장기와 조직을 연구한다.

02 예를 들어 그들은 간의 일부를 성공적으로 생산 혹은 배양해냈다. 03 인간은 간이 없이는 살 수 없으므로 이것은 흥미진진한 업적이다. 04 또 다른 실험실에서 과학자들은 인간의 턱뼈와 폐를 만들어냈다.
→ 예시: 간 배양 & 뼈와 폐 생성

05 이러한 과학적 성과가 매우 유망한 반면에 그것들은 또한 제한적이다. 06 과학자들은 심하게 병에 걸려있거나 손상된 장기의 세포를 새로운 장기를 위해서 사용할 수 없다.
→ 문제(원인): 손상된 장기를 사용할 수 없다.

07 (A) 따라서, 많은 연구자들은 완전히 새로운 장기를 배양하기 위해 줄기세포를 사용하는 방법을 연구 중이다.
→ 해결책(결과): 줄기세포 연구

08 줄기세포란 피부세포나 혈액세포, 심지어는 심장이나 간세포와 같은 어떤 종류의 복합 세포로도 성장할 수 있는 몸 안의 매우 단순한 세포이다.
→ 정의: 줄기세포는 어떤 복합 세포로도 성장할 수 있다.

09 (B) 다시 말해서, 줄기세포는 모든 다양한 종류의 세포들로 자라날 수 있다.
→ 08 재진술: 줄기세포는 다양한 종류의 세포들로 성장할 수 있다.

(A)	(B)
① 구체적으로	예를 들어
② 게다가	반면에
④ 따라서	대조적으로

해설

빈칸 (A)의 앞에서는 손상되거나 병에 걸린 장기에서 얻은 세포는 새로운 장기에 사용할 수 없다고 문제(원인)를 제기하고, 뒤에서는 이러한 해결책(결과)으로 새로운 장기를 배양하기 위해 줄기세포를 연구하고 있다고 설명한다. 이 두 문장의 관계는 원인-결과이므로 결과를 나타내는 연결어 Consequently나 Accordingly가 적합하다. 빈칸 (B)의 앞에서는 줄기세포가 무엇인지를 구체적으로 설명하고 있고, 뒤에서는 줄기세포가 무엇인지를 앞 문장과 비교하여 좀 더 간단하게 압축하여 설명한다. 따라서 앞 문장에 대한 재진술로 볼 수 있으므로 In other words가 가장 적합하다. 따라서 두 가지를 모두 충족하는 ③이 가장 적절하다.

어휘

organ 장기 tissue 조직 generate 생산하다 liver 간
achievement 업적 laboratory 실험실 jawbone 턱뼈 lung 폐
breakthrough 성과 promising 유망한 limited 제한된
stem cell 줄기세포 develop 성장하다 complex cell 복합 세포

정답 ③

실전 예제 02

출제 유형 05 빈칸 완성 – 연결어 넣기

밑줄 친 (A), (B)에 들어갈 말로 가장 적절한 것은?

Assertive behavior involves standing up for your rights and expressing your thoughts and feelings in a direct, appropriate way that does not violate the rights of others. It is a matter of getting the other person to understand your viewpoint. People who exhibit assertive behavior skills are able to handle conflict situations with ease and assurance while maintaining good interpersonal relations. ___(A)___, aggressive behavior involves expressing your thoughts and feelings and defending your rights in a way that openly violates the rights of others. Those exhibiting aggressive behavior seem to believe that the rights of others must be subservient to theirs. ___(B)___, they have a difficult time maintaining good interpersonal relations. They are likely to interrupt, talk fast, ignore others, and use sarcasm or other forms of verbal abuse to maintain control.

	(A)	(B)
①	In contrast	Thus
②	Similarly	Moreover
③	However	On one hand
④	Accordingly	On the other hand

정답 해설

구조분석 및 해석

01 확신에 찬 행동은 타인의 권리를 침해하지 않는 직접적이고 적절한 방식으로 자신의 권리를 옹호하고 자신의 생각과 감정을 표현하는 것을 수반한다.
→ 중심 소재(Topic) 1: 확신에 찬 행동(assertive behavior)
소주제 1: 확신에 찬 행동은 자신의 권리를 옹호하되 타인의 권리를 침해하지 않는다.

02 그것은 상대방이 본인의 관점을 이해하도록 하는 문제이다. **03** 확신에 찬 행동을 보이는 사람들은 좋은 대인관계를 유지하면서도 갈등 상황을 쉽고 자신감 있게 처리할 수 있다.
→ 소주제 1의 결론: 좋은 대인관계를 유지한다.

04 (A) 대조적으로, 공격적 행동은 타인의 권리를 공공연히 침해하는 방법으로 생각과 감정을 표현하고 자신의 권리를 방어하는 것을 수반한다.
→ 중심 소재(Topic) 2: 공격적 행동(aggressive behavior)
소주제 2: 공격적 행동은 타인의 권리를 침해하는 방식으로 자신의 권리를 방어한다.

05 공격적 행동을 보이는 사람들은 다른 사람들의 권리가 자신들의 권리보다 덜 중요하다고 믿는 것처럼 보인다.
→ 04의 부연 설명: 타인의 권리를 자신의 권리보다 덜 중요하게 여김

06 (B) 따라서, 그들은 좋은 대인관계를 유지하는 데 어려움을 겪는다.
→ 소주제 2의 결론: 좋은 대인관계를 유지하기 어렵다.

07 그들은 지배력을 유지하기 위해 끼어들고, 빨리 말하며, 다른 사람들을 무시하고, 비꼬는 말이나 다른 형태의 언어 폭력을 사용하기 쉽다.

	(A)	(B)
②	마찬가지로	게다가
③	하지만	한편
④	따라서	반면에

해설

확신에 찬 행동과 공격적 행동을 대조하고 있는 글이다. (A) 빈칸의 앞에서는 확신에 찬 행동에 대한 설명이 나오고, 빈칸 뒤에서는 이와 대조되는 공격적 행동에 관한 내용이 시작되므로 대조나 역접을 의미하는 In contrast나 However가 오는 것이 적절하다. (B) 앞 문장에서 공격적 행동을 하는 사람들은 타인의 권리가 자신의 것보다 덜 중요하다고 믿는 것처럼 보인다고 하였고, 이러한 것들의 결과로 좋은 대인관계를 유지하기 어렵다는 결과가 나오고 있으므로 결과를 나타내는 Thus가 오는 것이 적절하다. 따라서 두 가지를 모두 충족하는 ①이 가장 적절하다.

어휘

assertive 확신에 찬 stand up for ~을 옹호하다 violate 침해하다
exhibit 보이다 handle 처리하다 ease 쉬움 assurance 자신감
aggressive 공격적인 defend 방어하다 openly 공공연히
subservient to ~보다 덜 중요한 interrupt 끼어들다
sarcasm 비꼬는 말 abuse 폭력

정답 ①

출제유형 06 문장 제거

독해공식 13 문장 제거

- 글의 주제를 파악하고 그 주제와 어긋나는 문장을 찾는 문제 유형이다.

풀이 전략

Step 1 초반부에서 중심 소재(topic) 또는 핵심 의견(idea)을 파악하라!

Step 2 각 선택지의 문장을 글의 전반부에서 파악한 [topic + idea]와 비교하여 이 두 요소를 포함하지 않는 문장을 찾아라!

Step 3 글의 전체 맥락이 자연스러운지 다시 한번 확인하라!

쌤's TIP
글의 주제를 벗어나거나 지나치게 일반화되거나 지엽적인 내용을 발견하면 이를 제거합니다. 글의 전체 맥락이 자연스러운지 다시 한번 확인하세요.

적용 예시

다음 글의 흐름상 어색한 문장은? 2025 국가직 9급

As OECD countries prepare for an AI revolution, underscored by rapid advancements in generative AI and an increased availability of AI-skilled workers, the landscape of employment is poised for significant change. ① To navigate this shift, it's critical to prioritise training and education to equip both current and future workers with the necessary skills, and to support displaced workers with adequate social protection. ② Additionally, safeguarding workers' rights in the face of AI integration and ensuring inclusive labour markets become paramount. ③ Social dialogue will also be key to success in this new era. ④ Many experts believe that AI will completely replace all human jobs within the next decade. Together, these actions will ensure that the AI revolution benefits all, transforming potential risks into opportunities for growth and innovation.

구조분석 및 해석

01 As OECD countries prepare for an AI revolution, underscored by rapid advancements in generative AI and an increased availability of AI-skilled workers, the landscape of employment is poised for significant change.
01 OECD 국가들이 생성형 AI의 빠른 발전과 AI 숙련 노동자의 증가로 부각된 AI 혁명을 준비하게 됨에 따라, 고용 환경은 커다란 변화가 임박해 있다.

→ 중심 소재(Topic): AI 혁명
주제문: AI가 고용 환경에 변화를 가져왔다.

02 ① To navigate this shift, it's critical to prioritise training and education to equip both current and future workers with the necessary skills, and to support displaced workers with adequate social protection.
① 02 이러한 변화를 잘 헤쳐나가기 위해서는 현재 및 미래의 노동자들에게 필요한 기술을 장착하도록 훈련과 교육을 우선시하는 것과, 적절한 사회적 보호를 통해 일자리를 잃은 노동자들을 지원하는 것이 중요하다.

→ 대비책 1: 노동자 교육과 실업자 지원

03 ② Additionally, safeguarding workers' rights in the face of AI integration and ensuring inclusive labour markets become paramount.
② 03 또한 AI 통합에 직면한 노동자의 권리를 보호하고 포용적인 노동 시장을 보장하는 것이 필수적이다.

→ 대비책 2: 노동자 권리 보호와 포용적 노동 시장 보장

04 ③ Social dialogue will also be key to success in this new era.
③ 사회적 대화 역시 이 새로운 시대에 성공하기 위한 핵심 요소가 될 것이다.

→ 대비책 3: 사회적 대화

05 ④ Many experts believe that AI will completely replace all human jobs within the next decade.
④ 많은 전문가들은 AI가 앞으로 10년 이내에 모든 인간의 일자리를 완전히 대체할 것이라고 믿는다.

→ AI의 인간 직업 완전 대체(주제에 부합 X)

06 Together, these actions will ensure that the AI revolution benefits all, transforming potential risks into opportunities for growth and innovation.
이러한 조치들이 한데 모여 AI 혁명이 모두에게 혜택이 되도록 하며, 잠재적 위험이 성장과 혁신의 기회로 전환되도록 할 것이다.

해설
중심 소재는 AI 혁명이며, 주제문은 첫 번째 문장이다. AI혁명에 대한 간단한 설명이 먼저 주어진 후, 이후에서는 AI 혁명으로 인한 고용 전망의 변화에 대응하기 위한 다양한 적응 전략을 소개하는 내용이 이어진다. ①, ②, ③은 모두 이러한 대응책을 설명하며 글의 흐름에 자연스럽게 연결된다. 그러나 ④는 AI가 모든 인간의 일자리를 완전히 대체할 것이라는 극단적인 주장으로, 글의 핵심 논지인 변화에 대한 대비와 적응 방안과는 어울리지 않아 흐름상 어색하다.

어휘
revolution 혁명 underscore 부각시키다 generative 생성형의
landscape of employment 고용 환경
be poised for ~이 임박하다 navigate 잘 헤쳐나가다
crucial 중요한 prioritise 우선시하다
equip A with B A에게 B를 장착시키다
displace (원래의 위치에서) 퇴거시키다 adequate 적절한
safeguard 보호하다 in the face of ~을 직면하여
integration 통합 ensure 보장하다 inclusive 포용적인
paramount 매우 중대한 era 시대 expert 전문가
replace 대신하다 decade 10년 transform 변화시키다
potential 잠재적인 innovation 혁신

정답 ④

전략 적용하기

① 중심 소재(topic) 또는 주제문 찾기
글의 초반부에서 중심 소재와 주제문을 찾아 써 보세요.

중심 소재	AI 혁명
주제문	AI가 고용 환경에 변화를 가져올 것이다.

② 중심 소재와 주제문에 벗어난 문장 제거하기
선택지를 요약하고, 중심 소재와 주제문에서 벗어난 문장을 제거해 보세요.

①	노동자 교육과 실업자 지원을 해야 함
②	노동자 권리 보호와 포용적 노동 시장을 보장해야 함
③	사회적 대화를 해야 함
④	AI가 인간의 일자리를 모두 대체할 것임

실전 예제 01

다음 글의 흐름상 어색한 문장은? 2024 지방직 9급

Critical thinking sounds like an unemotional process but it can engage emotions and even passionate responses. In particular, we may not like evidence that contradicts our own opinions or beliefs. ① If the evidence points in a direction that is challenging, that can rouse unexpected feelings of anger, frustration or anxiety. ② The academic world traditionally likes to consider itself as logical and free of emotions, so if feelings do emerge, this can be especially difficult. ③ For example, looking at the same information from several points of view is not important. ④ Being able to manage your emotions under such circumstances is a useful skill. If you can remain calm, and present your reasons logically, you will be better able to argue your point of view in a convincing way.

정답 해설

구조분석 및 해석

01 비판적 사고는 감정적이지 않은 과정처럼 들릴 수 있지만, 그것은 감정과 심지어는 격정적인 반응을 끌 수 있다.
→ 중심 소재(Topic): 비판적 사고
→ 주제문: 비판적 사고는 감정을 유발한다.

02 특히, 우리는 자신의 의견이나 신념과 대립하는 증거를 좋아하지 않을 수 있다. ① **03** 만약 그 증거가 도전적인 방향으로 향한다면, 그것은 뜻밖의 분노, 좌절 또는 불안감을 불러일으킬 수 있다.
→ 감정 반응의 예시

② **04** 학계는 전통적으로 자신을 논리적이고 감정이 없다고 여기는 것을 좋아해서, 만약 감정이 나타나면, 이것은 특히나 어려울 수 있다.
→ 학계의 감정 개입에 대한 거부감

③ **05** 예를 들어, 같은 정보를 여러 관점에서 보는 것은 중요하지 않다.
→ 다양한 관점의 비중요성(주제에 부합 X)

④ **06** 그러한 상황에서 당신의 감정을 관리할 수 있는 것은 유용한 기술이다. **07** 만약 당신이 침착함을 유지할 수 있고, 이유를 논리적으로 제시할 수 있다면, 당신은 자신의 견해를 설득력 있는 방법으로 더 잘 주장할 수 있을 것이다.
→ 감정 관리의 중요성

해설

중심 소재는 비판적 사고이고, 주제문인 첫 문장에서 비판적 사고가 감정적 반응을 이끌 수 있다고 설명한다. 이에 대한 부연 설명이 ①의 문장까지 이어진다. ②에서부터는 전통적으로 감정에 좌우되지 않는다고 여겨지는 학계의 예시를 들어, 이러한 학계에서 감정이 나타날 경우, 더욱 어려운 상황이 될 수 있다고 설명한다. ④와 이어지는 마지막 문장에서는 ②의 어려운 상황에 대응하는 기술에 관해 설명하고 있다. 그러나 같은 정보를 여러 관점에서 보는 것은 중요하지 않다는 ③의 내용은 글의 흐름에서 벗어난다. 따라서 정답은 ③이다.

어휘

critical 비판적인 unemotional 감정적이지 않은 process 과정
engage 끌다 passionate 격정적인 response 반응
evidence 증거 contradict 대립하다 belief 신념 point 향하다
direction 방향 challenging 도전적인 rouse 불러일으키다
unexpected 뜻밖의 frustration 좌절 anxiety 불안
academic world 학계 traditionally 전통적으로
consider A as B A를 B로 여기다 logical 논리적인 free of ~가 없는
emerge 나타나다 point of view 관점 circumstance 상황
useful 유용한 calm 침착한 present 제시하다 reason 이유
logically 논리적으로 argue 주장하다 convincing 설득력 있는

정답 ③

실전 예제 02

출제 유형 06 문장 제거

다음 글의 흐름상 어색한 문장은?

> 01 In our monthly surveys of 5,000 American workers and 500 U.S. employers, a huge shift to hybrid work is abundantly clear for office and knowledge workers. ① 02 An emerging norm is three days a week in the office and two at home, cutting days on site by 30% or more. 03 You might think this cutback would bring a huge drop in the demand for office space. ② 04 But our survey data suggests cuts in office space of 1% to 2% on average, implying big reductions in density not space. 05 06 We can understand why. High density at the office is uncomfortable and many workers dislike crowds around their desks. ③ 07 Most employees want to work from home on Mondays and Fridays. 08 Discomfort with density extends to lobbies, kitchens, and especially elevators. ④ 09 The only sure-fire way to reduce density is to cut days on site without cutting square footage as much. 10 Discomfort with density is here to stay according to our survey evidence.

정답 해설

구조분석 및 해석

01 5천 명의 미국 근로자와 5백 명의 미국 고용주를 대상으로 실시된 우리의 월간 조사에서 사무직 및 지식 근로자들의 혼합 근무로의 뚜렷한 변화가 매우 분명하다.
→ 중심 소재(Topic): 혼합 근무

① 02 부상되고 있는 표준은 사무실에서 주중 3일, 그리고 집에서 2일이며, 이는 사무실 근무 일수를 30퍼센트 이상 줄이게 된다.
→ 혼합 근무로의 변화 추세

03 당신은 이러한 감소로 인해 사무실 공간 수요가 크게 감소할 것으로 생각할 수 있다. ② 04 그러나 우리의 조사 데이터는 평균적으로 1퍼센트에서 2퍼센트의 사무실 공간 감소세를 보여주며, 이는 공간이 아니라 밀집도에서의 큰 감소를 의미한다.
→ 주제문: 혼합 근무 전환의 영향 – 사무실의 밀집도 감소

05 우리는 그 이유를 이해할 수 있다. 06 사무실에서의 높은 밀집도는 불편함을 의미하며, 많은 근로자가 자신의 책상 주변에 사람이 많은 것을 좋아하지 않는다.

③ 07 대부분의 근로자는 월요일과 금요일에 재택 근무하길 원한다.
→ 혼합 근무 시 선호하는 요일(주제에 부합 X)

08 밀집도로 인한 불편함은 로비, 주방, 그리고 특히 엘리베이터까지로 확대된다.

④ 09 밀도를 줄이는 유일한 확실한 방법은 면적을 크게 감소시키지 않고 사무실 근무 일수를 줄이는 것이다.
→ 사무실의 혼잡도를 낮추는 방법 = 혼합 근무

10 조사 근거에 의하면 밀집도로 인한 불편함은 이미 널리 퍼져 있다.

해설

중심 소재는 혼합 근무로, 사무실 근무와 재택근무가 혼합된 형태의 근무 방식이 증가하면서 발생하는 현상을 설명하는 글이다. ①에서는 혼합 근무 형태로의 변화 추세를 설명한다. ②가 주제문으로 혼합 근무 형태는 사무실의 밀집도를 낮춰주는 결과를 가져왔다고 설명한다. ④ 역시 혼합 근무가 이러한 밀집도를 낮춘다는 내용으로, 같은 주제에 대한 부연 설명이다. 그러나 ③은 혼합 근무 시 근로자가 재택 근무를 선호하는 요일을 언급하고 있어 글 전체의 흐름과 맞지 않는다. 따라서 글의 흐름상 가장 어색한 문장은 ③이다.

어휘

survey 조사 shift 변화 abundantly 상당히
knowledge worker 지식 근로자 emerging 부상하는 norm 표준
cutback 감소 drop 감소 on average 평균 imply 의미하다
reduction 감소 density 밀집도 dislike 싫어하다
extend ~로 확대되다 sure-fire 확실한 square footage 면적
be here to stay 이미 널리 퍼져 있다

정답 ③

종합문제 01

밑줄 친 부분에 들어갈 말로 적절한 것은? 2024 국가직 9급

_____. Nearly every major politician hires media consultants and political experts to provide advice on how to appeal to the public. Virtually every major business and special-interest group has hired a lobbyist to take its concerns to Congress or to state and local governments. In nearly every community, activists try to persuade their fellow citizens on important policy issues. The workplace, too, has always been fertile ground for office politics and persuasion. One study estimates that general managers spend upwards of 80% of their time in verbal communication — most of it with the intent of persuading their fellow employees. With the advent of the photocopying machine, a whole new medium for office persuasion was invented — the photocopied memo. The Pentagon alone copies an average of 350,000 pages a day, the equivalent of 1,000 novels.

① Business people should have good persuasion skills
② Persuasion shows up in almost every walk of life
③ You will encounter countless billboards and posters
④ Mass media campaigns are useful for the government

종합문제 02

밑줄 친 부분에 들어갈 말로 적절한 것은? 2024 국가직 9급

It is important to note that for adults, social interaction mainly occurs through the medium of language. Few native-speaker adults are willing to devote time to interacting with someone who does not speak the language, with the result that the adult foreigner will have little opportunity to engage in meaningful and extended language exchanges. In contrast, the young child is often readily accepted by other children, and even adults. For young children, language is not as essential to social interaction. So-called 'parallel play', for example, is common among young children. They can be content just to sit in each other's company speaking only occasionally and playing on their own. Adults rarely find themselves in situations where _____.

① language does not play a crucial role in social interaction
② their opinions are readily accepted by their colleagues
③ they are asked to speak another language
④ communication skills are highly required

정답 해설

구조분석 및 해석

01 성인의 경우 사회적 상호작용은 주로 언어라는 매개체를 통해 일어난다는 점에 유의하는 것이 중요하다.
→ 중심 소재(Topic): 사회적 상호작용의 수단인 언어
주제문: 언어는 성인의 사회적 상호작용에 중요한 수단이다.

02 원어민 성인 중 그 언어(같은 언어)를 사용하지 않는 사람과의 상호작용에 기꺼이 시간을 할애할 의사가 있는 사람은 거의 없으며, 그 결과 성인 외국인은 의미 있고 긴 언어 교환에 참여할 기회가 거의 없을 것이다.
→ 부연: 성인은 언어가 다른 사람과 상호작용을 거의 하지 않는다.

03 이에 반해 어린아이는 종종 다른 아이들, 심지어 어른들에 의해도 쉽게 받아들여진다. **04** 어린아이들에게 언어는 사회적 상호작용에서 그만큼 필수적이지 않다. **05** 예를 들어, 소위 '병행 놀이'는 어린아이들 사이에서 흔하다. **06** 그들은 그냥 서로 함께 앉아서 가끔씩만 말을 하고 혼자 자기 놀이를 하는 것만으로 만족할 수 있다.
→ 반대 예시: 어린아이의 사회적 상호작용은 언어가 필수적이지 않다.

07 어른들은 언어가 사회적 상호작용에 중요한 역할을 하지 않는 상황을 거의 만날 수 없다.
→ 주제문 재진술: 결론: 성인은 거의 언어를 통해 사회적 상호작용을 한다.

② 그들의 의견이 동료들에 의해 쉽게 받아들여지는
③ 그들이 다른 언어를 쓰도록 요구받는
④ 의사소통 기술이 매우 필요한

해설

성인들의 사회적 상호작용에는 언어가 중요한 도구라고 하는 첫 문장이 주제문이고 부연 설명이 이어진 후, In contrast로 어린아이들에 관한 반대 예시를 제시하고 있다. 빈칸은 주제문을 재진술하는 부분으로 어린아이와는 달리 어른들에게는 언어가 중요하다는 의미의 내용이 와야 한다. 빈칸 앞에 rarely라는 부정어가 왔으므로 빈칸에는 언어가 중요하지 않다 라는 말이 와서 이중부정을 통한 강한 긍정의 문장이 되도록 해야 한다. 따라서 정답은 ① '언어가 사회적 상호작용에서 중요한 역할을 하지 않는'이다.

어휘

note 유의하다 interaction 상호작용 mainly 주로
medium 매개체 devote 할애하다
with the result (that) 그 결과 ~하다 engage in ~에 참여하다
meaningful 의미 있는 extended 긴 in contrast 그에 반해서
readily 쉽게 parallel 평행 content 만족한
company 함께 있음 occasionally 가끔씩 on one's own 혼자서
crucial 중요한 colleague 동료 required 필요한

정답 ①

종합문제 03

글의 흐름상 가장 어색한 것은? 2024 국가직 9급

In spite of all evidence to the contrary, there are people who seriously believe that NASA's Apollo space program never really landed men on the moon. These people claim that the moon landings were nothing more than a huge conspiracy, perpetuated by a government desperately in competition with the Russians and fearful of losing face. ① These conspiracy theorists claim that the United States knew it couldn't compete with the Russians in the space race and was therefore forced to fake a series of successful moon landings. ② Advocates of a conspiracy cite several pieces of what they consider evidence. ③ Crucial to their case is the claim that astronauts never could have safely passed through the Van Allen belt, a region of radiation trapped in Earth's magnetic field. ④ They also point to the fact that the metal coverings of the spaceship were designed to block radiation. If the astronauts had truly gone through the belt, say conspiracy theorists, they would have died.

정답 해설

구조분석 및 해석

01 모든 반대되는 증거에도 불구하고, NASA의 아폴로 우주 프로그램이 실제로 인간을 달에 착륙시킨 적이 없다고 진지하게 믿는 사람들이 있다.
→ 중심 소재(Topic): NASA의 아폴로 우주 프로그램
주제문: NASA의 아폴로 우주 프로그램은 음모라고 믿는 사람들이 있다.

02 이 사람들은 달 착륙이 러시아와 절박하게 경쟁하고 있었으며, 체면을 잃는 것을 두려워한 정부에 의해 영속화된 거대한 음모에 지나지 않는다고 주장한다. ① **03** 이러한 음모론자들은 미국이 우주 경쟁에서 러시아와 경쟁할 수 없다는 것을 알고 있었으며, 따라서 일련의 성공적인 달 착륙을 꾸며내야 했다고 주장한다.
→ 음모론자들의 주장

② **04** 음모론의 옹호론자들은 그들이 증거로 여기는 여러 가지를 예로 든다.
→ 주장 ➡ 증거로 전환

③ **05** 그들의 논거에서 중요한 것은 우주비행사들이 지구의 자기장에 갇힌 방사선 지역인 밴 앨런 벨트를 결코 안전하게 통과할 수 없었을 것이라는 주장이다.
→ 음모론자들이 제시하는 증거

④ **06** 그들은 또한 우주선의 금속 외피가 방사선을 차단하도록 설계되었다는 사실을 지적한다.
→ ③ **05**의 내용과 반대되는 주장이자 뒤 문장과의 흐름도 어색

07 음모론자들은, 만약 우주인들이 실제로 그 벨트를 통과했다면, 그들은 죽었을 것이라고 말한다.
→ **05**에 대한 결론적 강조

해설

첫 번째 문장에서 이 글의 중심 소재인 NASA's Apollo space program이 언급되고 두 번째 문장에서 글의 핵심 아이디어인 conspiracy가 소개된다. 아폴로 우주 프로그램이 음모라고 믿는 사람들에 대한 글임을 알 수 있다. ①, ②, ③은 이러한 음모론자들이 어떤 근거로 아폴로 우주선의 달 착륙이 거짓이라고 주장하는지를 뒷받침하는 내용이다. 그러나 ④의 내용은 우주선이 결코 방사선 지역을 통과하지 못했을 것이라는 ③과는 반대되는 내용으로 우주선이 방사능을 차단하도록 설계되었다고 설명하므로 이는 음모론자들의 주장이 될 수 없다. 따라서 글의 흐름상 어색한 문장은 ④이다. ④는 They also point로 시작해서 마치 앞의 ③의 내용에 이어지는 것처럼 보이는데, 이에 속지 않아야 한다.

어휘

in spite of ~에도 불구하고   evidence 증거
to the contrary 반대의   claim 주장하다
nothing more than ~에 지나지 않는   conspiracy 음모(론)
perpetuate 영속화하다   desperately 절박하게
in competition with ~와 경쟁하여   fearful of ~을 두려워하는
lose face 체면을 잃다   be forced to ~해야만 하다
fake 거짓으로 꾸며내다   advocate 옹호자   cite 예로 들다
crucial 중요한   astronaut 우주비행사   pass through 통과하다
region 지역   radiation 방사능   trap 가두다
magnetic field 자기장   point 지적하다   block 차단하다
theorist 이론가

정답 ④

종합문제 04

다음 글의 제목으로 적절한 것은? 2024 국가직 9급

Currency debasement of a good money by a bad money version occurred via coins of a high percentage of precious metal, reissued at lower percentages of gold or silver diluted with a lower value metal. This adulteration drove out the good coin for the bad coin. No one spent the good coin, they kept it, hence the good coin was driven out of circulation and into a hoard. Meanwhile the issuer, normally a king who had lost his treasure on interminable warfare and other such dissolute living, was behind the move. They collected all the good old coins they could, melted them down and reissued them at lower purity and pocketed the balance. It was often illegal to keep the old stuff back but people did, while the king replenished his treasury, at least for a time.

① How Bad Money Replaces Good
② Elements of Good Coins
③ Why Not Melt Coins?
④ What Is Bad Money?

구조분석 및 해석

01 나쁜 화폐 버전(악화)에 의한 좋은 화폐(양화)의 화폐 가치 저하는 높은 비율의 귀금속 동전을 통해 발생했으며, 더 가치가 낮은 금속으로 희석하여 더 낮은 비율의 금이나 은으로 재발행되었다.
→ 중심 소재(Topic): 화폐 가치 저하
주제문: 양화의 화폐 가치를 저하하는 방식으로 악화가 발행되었다.

02 이러한 섞음질이 나쁜 동전(악화) 대신 좋은 동전(양화)을 몰아냈다.
→ 주제문 재진술: 화폐 가치 저하로 악화는 양화를 몰아냈다.

03 아무도 좋은 동전(양화)을 쓰지 않았고, 그들은 그것을 보관했고, 이런 이유로 좋은 동전(양화)은 유통되지 않고 사재기 상태로 내몰렸다. 04 한편, 이러한 조치의 배후에는 발행인이 있었는데, 보통 끊이지 않는 전쟁과 그 밖의 방탕한 생활로 재산을 잃은 왕이었다. 05 그들은 모을 수 있는 모든 좋은 오래된 동전들을 모아 녹여서 낮은 순도로 재발행하고, 그 차액을 챙겼다. 06 오래된 것(동전)을 숨기는 것은 종종 불법이었지만, 왕이 그의 금고를 다시 채우는 동안 적어도 한동안은 사람들이 그렇게 했다.
→ 뒷받침: 악화가 양화를 몰아내게 된 역사적 상황과 배경

① 악화가 양화를 대체하는 방식
② 양화의 요소
③ 왜 동전을 녹여내지 않는가?
④ 악화란 무엇인가?

해설

중심 소재는 화폐 가치 저하이고, 주제문인 첫 문장에서는 악화와 양화에 대해 언급하고, 양화가 어떻게 악화로 대체되는지 그 과정을 언급한다. 그런 다음 두 번째 문장에서 그 내용을 간추려 주제를 재진술한다. 즉, 양화에 사용된 귀금속(금, 은)의 비중을 낮추고 저질 금속으로 섞음질해서 악화만 유통되었다는 것이다. 이후, 이런 조치가 나오게 된 역사적 배경에 대해 부연 설명하고 있다. 따라서 글의 제목으로 가장 적절한 것은 ① '악화가 양화를 대체하는 방식'이다.

어휘

currency 화폐 debasement 가치 저하
precious metal 귀금속 reissue 재발행하다 dilute 희석하다
adulteration 섞음질 drive out 몰아내다 hence 이런 이유로
circulation 유통 hoard 사재기 meanwhile 한편
issuer 발행인 treasure 재산 interminable 끊임없는
warfare 전쟁 dissolute 방탕한 move 조치 purity 순도
pocket 챙기다 balance 차액 keep ~ back ~을 숨기다
replenish 다시 채우다 treasury 금고 replace 대체하다

정답 ①

Chapter 03
글의 흐름 파악하기

출제유형 07	**순서 배열**
	독해공식 14 순서 배열
출제유형 08	**문장 삽입**
	독해공식 15 문장 삽입

출제유형 07 순서 배열

독해공식 14 순서 배열

- 글의 전후 맥락을 파악하여 주어진 글 뒤에 이어질 올바른 글의 순서를 찾는 문제 유형이다.

풀이 전략

Step 1 주어진 글에서 앞으로 설명될 [개념]을 찾아라!

Step 2 언어 단서(관사, 대명사, 연결어 등)와 함께 앞에서 언급된 개념에 대해 구체적으로 [설명]하는 문장을 찾아가며 글의 순서를 정하라!

Step 3 정해진 순서대로 읽으며 글의 일관성이 유지되는지 다시 확인하라!

쌤's TIP
주어진 글을 통해 대략적인 글의 구조를 머릿속에서 예상해 보세요. 전후 관계가 가장 분명한 글부터 순서를 정합니다.

적용 예시

주어진 글 다음에 이어질 글의 순서로 가장 적절한 것은?

2025 국가직 9급

01 The idea that society should allocate economic rewards and positions of responsibility according to merit is appealing for several reasons.

02 (A) An economic system that rewards effort, initiative, and talent is likely to be more productive than one that pays everyone the same, regardless of contribution, or that hands out desirable social positions based on favoritism.

03 (B) Rewarding people strictly on their merits also has the virtue of fairness; it does not discriminate on any basis other than achievement.

04 (C) Two of these reasons are generalized versions of the case for merit in hiring—efficiency and fairness.

① (A) – (C) – (B)
② (B) – (C) – (A)
③ (C) – (A) – (B)
④ (C) – (B) – (A)

쌤's TIP 순서 배열 문제의 빈출 구조

1. 개념 – 부연 설명

(도입) ··· 개념 ①
(A) 부연 설명(개념 ②) ··· 개념 ③
(B) 부연 설명(개념 ①) ··· 개념 ②
(C) 부연 설명(개념 ③) ···

2. 시간/사건 순서

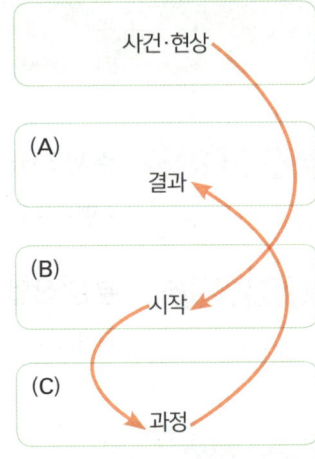

3. 실험 설명

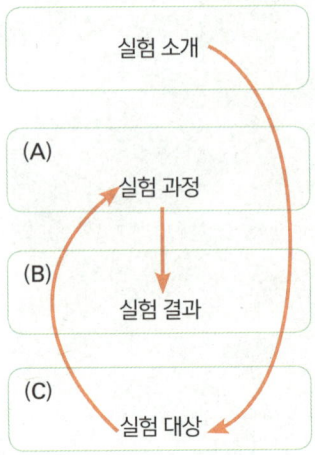

정답 해설

구조분석 및 해석

01 The idea that society should allocate economic rewards and positions of responsibility according to merit is appealing for several reasons.
01 사회가 경제적 보상과 책임이 따르는 지위를 능력에 따라 분배해야 한다는 생각은 몇 가지 이유로 매력적이다.
→ 중심 소재(Topic): 능력에 따른 보상 분배
예측: 능력에 따른 보상 분배가 장점인 이유 부연 설명

02
(A) An economic system that rewards effort, initiative, and talent is likely to be more productive than one that pays everyone the same, regardless of contribution, or that hands out desirable social positions based on favoritism.
02 노력, 창의성, 재능을 보상하는 경제 시스템은 공헌 정도와는 상관없이 모두에게 동일한 보상을 주거나, 혹은 편애에 근거해 중요한 사회적 지위를 분배하는 시스템보다 더 생산적일 가능성이 높다.
→ 노력, 창의성, 재능을 보상하는 방식이 더 생산적 ②

03
(B) Rewarding people strictly on their merits also has the virtue of fairness; it does not discriminate on any basis other than achievement.
03 엄격하게 능력에 따라 사람들에게 보상을 주는 것은 또한 공정성이라는 미덕을 갖게 된다: 이는 성취 외의 어떤 근거로도 차별하지 않는다.
→ 더 생산적일 뿐만 아니라 공정성이라는 미덕도 가짐 ③
신호어: also

(C) Two of these reasons are generalized versions of the case for merit in hiring—efficiency and fairness.
04 이런 이유 중 두 가지는 채용에서의 능력주의를 옹호하는 보편화된 형태이다 — 효율성과 공정성이라는.
→ 여러 이유 중 두 가지를 언급 ①

해설

중심 소재는 능력(merit)에 따른 보상 분배이고, 주어진 문장에서는 이러한 생각이 매력적인 몇 가지 이유가 있다고 말한다. 이후 (C)에서는 그러한 이유들 중 효율성과 공정성이라는 두 가지가 능력주의 기반 채용의 보편적 형태라고 구체화하므로 주어진 글 뒤에 (C)가 와야 한다. 이후 (A)에서는 첫 번째 이유인 효율성을 more productive라는 말로 바꿔 설명하고 있고 (B)에서는 also라는 신호어를 통해 두 번째 이유인 공정성에 대한 부연이 이어진다. 따라서 글의 순서로 가장 적절한 것은 ③ (C) - (A) - (B)이다.

어휘

allocate 할당하다   reward 보상   merit 능력
appealing 매력적인   initiative 창의성
regardless of ~와 상관없이   contribution 공헌
hand out ~을 분배하다   desirable 가치 있는   favoritism 편애
strictly 엄격하게   virtue 미덕   fairness 공정성
discriminate 차별하다   generalize 보편화하다   version 형태
case 주장   efficiency 효율성   fairness 공정성

정답 ③

전략 적용하기

❶ 주어진 글에서 내용 예측하기
주어진 글을 읽고 앞으로 전개될 내용을 예측해 보세요.

| 예측 | '능력(merit)'에 따라 보상을 분배해야 한다는 생각이 장점인 이유들을 부연 설명 |

❷ 언어 단서와 전개 방식을 통해 순서 정하기
(A), (B), (C)에서 다음 글과 이어질 단서를 찾으세요.

(C)	이러한 이유 중 두 가지 → 효율성과 공정성
(A)	'더 생산적' 즉 효율적인 이유 설명
(B)	also → 공정성을 갖는 이유 설명

실전 예제 01

출제 유형 07 순서 배열

주어진 글 다음에 이어질 글의 순서로 가장 적절한 것은?

인사혁신처 2차 예시

Nick started a fire with some chunks of pine he got with the ax from a stump. Over the fire he stuck a wire grill, pushing the four legs down into the ground with his boot.

(A) They began to bubble, making little bubbles that rose with difficulty to the surface. There was a good smell. Nick got out a bottle of tomato ketchup and cut four slices of bread.

(B) The little bubbles were coming faster now. Nick sat down beside the fire and lifted the frying pan off.

(C) Nick put the frying pan on the grill over the flames. He was hungrier. The beans and spaghetti warmed. He stirred them and mixed them together.

① (B) – (A) – (C)
② (B) – (C) – (A)
③ (C) – (A) – (B)
④ (C) – (B) – (A)

정답 해설

구조분석 및 해석

01 Nick은 그루터기에서 도끼로 얻은 소나무 조각들을 사용해 불을 피웠다. 02 그는 불 위에 철망 그릴을 얹고, 네 개의 다리를 자신의 부츠로 땅에 단단히 박아 넣었다.

→ 중심 소재(Topic): 요리
예측: 그릴로 요리하는 과정 설명

(A) 03 그것들은 기포를 내며 끓기 시작했고 힘겹게 표면으로 올라오는 작은 기포들을 만들어냈다. 04 좋은 냄새가 났다. 05 Nick은 토마토 케첩 병을 꺼내고 빵 네 조각을 잘랐다.

→ 순서 1의 '콩과 스파게티'를 '그것들'로 받음(조리 중간) ②

(B) 06 그 작은 기포들이 이제 더 빠르게 올라왔다. 07 Nick은 불 옆에 앉아 프라이팬을 들어 올렸다.

→ 순서 2의 '작은 기포'를 '그 작은 기포들'로 받음(조리 완료) ③

(C) 08 Nick은 프라이팬을 불꽃 위 그릴에 올려놓았다. 09 그는 더 배가 고팠다. 10 콩과 스파게티가 데워졌다. 11 그는 그것들을 저으며 함께 섞었다.

→ 먼저 설치된 그릴 위의 프라이팬 올림(조리 시작) ①

해설

이야기글이므로 중심 소재를 파악한 뒤 시간의 순서나 과정에 따라 글의 순서를 배열하면 된다. 중심 소재는 grill이 설치된다는 것으로 보아 요리임을 알 수 있고 이후 요리 과정이 설명될 것을 예상할 수 있다. 주어진 문장은 Nick이 불을 피우고 그 위에 철망 그릴을 설치하는 과정이니, 그릴 위에 프라이팬을 올리고 음식을 데우는 과정인 (C)가 연결되는 것이 적절하다. 이어 (C)의 콩과 스파게티가 데워진다는 것을 (A)의 they로 받고 있으므로 (C) 다음에는 (A)가 이어져야 한다. 이어 (A)의 작은 기포를 (B)에서 그 작은 기포들로 받았으므로 (B)가 마지막에 와야 한다. 마지막으로 요리를 끝내며 프라이팬을 들어 올리는 마지막 과정이 설명된다. 따라서 요리 과정을 순서대로 나열한 ③ (C) – (A) – (B)가 가장 자연스럽다.

어휘

chunk 조각   pine 소나무   ax 도끼
stump (베어낸 후 남은) 그루터기   stick 밀어 넣다   wire grill 철망 그릴
push down 눌러 박다   boot 부츠   bubble 기포   surface 표면
slice (얇게) 자르다   flame 불꽃   stir 휘젓다

정답 ③

실전 예제 02

출제 유형 07 순서 배열

주어진 글 다음에 이어질 글의 순서로 적절한 것은?

2024 지방직 9급

> **01** Computer assisted language learning (CALL) is both exciting and frustrating as a field of research and practice.

02 (A) Yet the technology changes so rapidly that CALL knowledge and skills must be constantly renewed to stay apace of the field.

03 (B) It is exciting because it is complex, dynamic and quickly changing — and it is frustrating for the same reasons.

04 (C) Technology adds dimensions to the domain of language learning, requiring new knowledge and skills for those who wish to apply it into their professional practice.

① (A) − (C) − (B)
② (B) − (A) − (C)
③ (B) − (C) − (A)
④ (C) − (B) − (A)

정답 해설

구조분석 및 해석

01 연구 및 실무 분야로서 컴퓨터 보조 언어 학습(CALL)은 흥미로울 뿐만 아니라 좌절감을 준다.
→ 중심 소재(Topic): CALL의 양면성
예측: 왜 CALL이 흥미롭고도 좌절스러운지 설명

(A) **02** 그러나 그 기술은 매우 빠르게 변화하기 때문에 CALL 지식과 기술은 현장에서 뒤처지지 않으려면 지속적으로 갱신되어야 한다.
→ 기술의 빠른 변화 ➡ 지식과 기술의 지속적 갱신 필요 ③

(B) **03** 그것은 복잡하고 역동적이며 빠르게 변화하기 때문에 흥미롭다 — 그리고 같은 이유로 좌절감을 준다.
→ CALL이 흥미와 좌절을 주는 이유: 복잡성과 빠른 변화 ①

(C) **04** 기술은 언어 학습의 영역에 차원을 높여주어 전문적인 실무에 그것을 적용하고자 하는 사람들에게 새로운 지식과 기술을 요구한다.
→ 기술을 적용하려면 새로운 지식과 기술 필요 ②

해설

중심 소재는 컴퓨터 보조 언어 학습(CALL)의 양면성으로 주어진 글이 주제문에 해당한다. 주어진 글에서 컴퓨터 보조 언어 학습(CALL)의 두 가지 속성인 흥미로운 면과 좌절스러운 면을 (B)에서 다시 언급하며 좌절감을 주는 이유 역시 역동적이고 빠르기 때문이라고 설명하므로 주어진 글 뒤에 (B)가 오는 것이 자연스럽다. 복잡하고 역동적인 이유를 (C)에서 Technology를 들어 설명하며 기술이 긍정적인 (exciting) 측면을 더해주지만 새로운 지식과 기술을 배워야 한다고 언급한다. (A)에서는 역설의 연결사 Yet으로 이 기술(the technology)이 너무 빨리 변화되어 새로운 지식과 기술을 지속적으로 배워나가야 하는 좌절스러움을 한층 더 강조하고 있으므로 (C) 뒤에 (A)가 이어지는 것이 자연스럽다. 따라서 글의 순서로 가장 적절한 것은 ③ (B) − (C) − (A)이다.

어휘

assist 보조하다　frustrating 좌절스러운　practice 실무
rapidly 빠르게　constantly 지속적으로　renew 갱신하다
stay apace of ~에서 뒤처지지 않다　complex 복잡한
dynamic 역동적인　dimension 차원　domain 영역
apply 적용하다

정답 ③

출제유형 08 문장 삽입

독해공식 15 　 문장 삽입

- 글의 전후 맥락을 파악하여 주어진 문장을 가장 적절한 위치에 삽입하는 문제 유형이다.

풀이 전략

Step 1 주어진 문장을 읽고 앞뒤에 제시될 단서를 예측하라!
Step 2 예측한 내용을 찾으면서 글을 읽어라!
Step 3 주어진 문장을 삽입한 후 전체 문맥을 확인하라!

> **쌤's TIP**
> 적절한 위치로 생각되는 부분을 찾았다면 주어진 문장을 그 위치에 넣고 반드시 앞뒤 문장과의 연결이 자연스러운지 다시 한번 최종 확인합니다.

적용 예시

주어진 문장이 들어갈 위치로 가장 적절한 것은? 　2025 국가직 9급

> 01
> Schedule your time in a way that relegates distracting activities, such as news consumption and social-media scanning, to prescribed times.

02
When you learn to drive, you are taught to maintain a level of situational awareness that is wide enough to help you anticipate problems but not so wide that it distracts you. The same goes for your project. (①)
04
You need to know what's going on around you that might affect your life and work, but not what is irrelevant to these things. (②) I am not advocating a "full ostrich" model of ignoring the outside world entirely. (③) Rather, I mean to recommend ordering your information intake so that extraneous stuff doesn't eat up your attention. (④) Perhaps you could decide to read the news for 30 minutes in the morning and vegetate* on social media for 30 minutes at the end of the day.

*vegetate: 하는 일 없이 지내다

 주어진 문장으로 앞뒤 글 예측하기

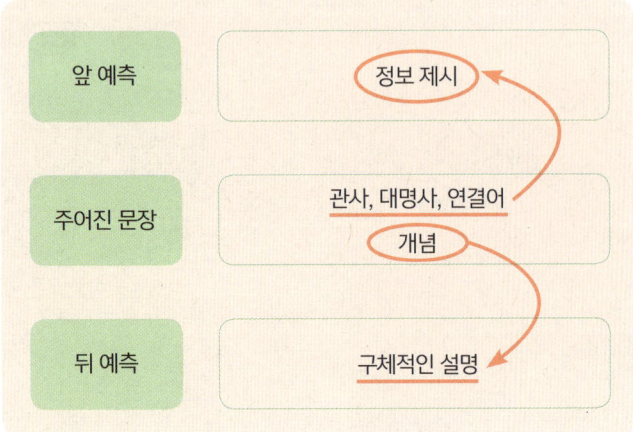

구조분석 및 해석

01 Schedule your time in a way that relegates distracting activities, such as news consumption and social-media scanning, to prescribed times.

01 뉴스 소비와 소셜 미디어 훑어보기 같은 산만한 활동을 정해진 시간대로 제한하는 방식으로 자신의 시간을 계획하라.

→ 중심 소재(Topic): 정보 소비와 주의력
예측: 앞: 산만한 활동에 대한 예시
뒤: 시간 설정 방법이나 구체적 예시

02 When you learn to drive, you are taught to maintain a level of situational awareness that is wide enough to help you anticipate problems but not so wide that it distracts you. **03** The same goes for your project. (①) **04** You need to know what's going on around you that might affect your life and work, but not what is irrelevant to these things. (②) **05** I am not advocating a "full ostrich" model of ignoring the outside world entirely.

02 당신은 운전을 배울 때 문제를 예측하는 데 도움이 될 만큼 넓지만 주의를 산만하게 할 정도로 너무 넓지는 않은 상황 인식 수준을 유지하는 법을 배운다. **03** 프로젝트도 마찬가지이다. (①) **04** 당신의 삶과 일에 영향을 줄 수 있는 주변 상황은 알아야 하지만, 이들(삶과 일)과 무관한 것들까지 알 필요는 없다. (②) **05** 난 외부 세계를 완전히 무시하는 '완전 타조' 모델을 옹호하는 것이 아니다. (③)

→ 선별적 집중이 필요한 산만한 활동들의 예시: 운전, 프로젝트

(③) **06** Rather, I mean to recommend ordering your information intake so that extraneous stuff doesn't eat up your attention.

06 오히려 불필요한 것이 주의를 갉아먹지 않도록 정보 섭취를 정돈하는 것을 권장한다.

→ 주제문: 정보 섭취를 정돈하라
신호어: Rather

(④) **07** Perhaps you could decide to read the news for 30 minutes in the morning and vegetate on social media for 30 minutes at the end of the day.
(④) **07** 아침에 30분 동안 뉴스를 읽고 하루가 끝나면 소셜 미디어에서 30분 동안 하는 일 없이 지낼 수도 있다.

→ 구체적 예시/시간 설정 방법: 뉴스와 소셜미디어를 시간대별로 제한

해설

주어진 문장에서는 뉴스 소비와 소셜 미디어 같은 산만한 활동을 정해진 시간대로만 제한하는 방식으로 자신의 시간을 짜라고 하였다. 즉 시간을 짜는 방식을 조언하고 있다. 따라서 이 앞에는 산만한 활동에 대한 언급이 있어야 하고 이후에는 정해진 시간대로 시간 설정에 대한 방법이나 구체적 예시가 올 수 있다. ④의 앞에서는 운전을 배우는 것과 프로젝트의 예를 들면서 필요한 정도는 알아야 하지만 무관한 것까지 주의를 기울일 필요가 없다고 말하고, 뒤에는 뉴스와 소셜 미디어를 각각 어떻게 시간을 정하여 소비하는지에 대해 구체적으로 예를 들어 설명하고 있다. 따라서 주어진 문장이 들어갈 위치로 가장 적절한 곳은 ④이다.

어휘

schedule (일정을) 계획하라　relegate A to B A를 B로 제한하다
distract 산만하게 하다　consumption 소비　scanning 훑어보기
prescribed 정해진　situational 상황의　awareness 인식
anticipate 예측하다　affect 영향을 미치다　irrelevant 무관한
advocate 옹호하다　ostrich 타조　entirely 완전히　rather 오히려
recommend 권장하다　order 정돈하다　intake 섭취
extraneous 불필요한　eat up 갉아먹다

정답 ④

전략 적용하기

❶ 주어진 문장의 앞뒤 내용 예측하기

주어진 문장의 앞뒤에 나올 내용을 예측해 보세요.

앞 예측	산만한 활동에 대한 예시
뒤 예측	시간 설정 방법이나 구체적 예시
신호어	Rather → 완전한 차단이 아닌 정보 섭취를 정돈하라

❷ 주어진 문장에서 예측한 것이 언급되는지 찾기

신호어와 지시어에 유의해서 지문을 읽으며 예측한 앞뒤의 내용을 찾아 자연스럽게 연결되는지 확인하세요.

실전 예제 01

주어진 문장이 들어갈 위치로 적절한 것은? 2024 지방직 9급

But she quickly popped her head out again.

The little mermaid swam right up to the small window of the cabin, and every time a wave lifted her up, she could see a crowd of well-dressed people through the clear glass. Among them was a young prince, the handsomest person there, with large dark eyes. (①) It was his birthday, and that's why there was so much excitement. (②) When the young prince came out on the deck, where the sailors were dancing, more than a hundred rockets went up into the sky and broke into a glitter, making the sky as bright as day. (③) The little mermaid was so startled that she dove down under the water. (④) And look! It was just as if all the stars up in heaven were falling down on her. Never had she seen such fireworks.

정답 해설

구조분석 및 해석

01 그러나 그녀는 그녀의 머리를 다시 밖으로 빠르게 내밀었다.
→ 예측 앞: 인어공주가 물속으로 들어가 있는 장면
　　　뒤: 머리를 내민 뒤 보이는 물 밖의 일
　　신호어: But, again

02 인어공주는 선실의 작은 창문 바로 위로 헤엄쳐갔으며, 파도가 그녀를 들어 올릴 때마다 깨끗한 창을 통해 옷을 잘 차려입은 사람들의 무리를 볼 수 있었다. 03 그곳의 사람들 중 가장 멋지고 크고 검은 눈을 가진 젊은 왕자가 그들 중에 있었다. (①) 04 그날은 그의 생일이었고, 그런 이유로 많은 즐거운 소란이 있었다. (②) 05 그 젊은 왕자가 병사들이 춤을 추고 있는 갑판으로 나왔을 때 백여 개가 넘는 로켓들이 날아 하늘로 올라갔으며 터져서 반짝이는 빛이 되었고, 하늘을 마치 대낮처럼 밝게 만들었다.
→ 인어공주가 물속에서 머리를 내밀고 바라본 물 밖의 세상

(③) 06 인어공주는 매우 놀라 물속으로 잠수해 들어갔다.
→ 로켓이 터져 놀란 인어공주가 물속으로 들어감

(④) 07 그리고 보아라! 08 마치 하늘의 모든 별들이 그녀에게로 떨어지고 있는 것 같았다. 09 그녀는 이런 불꽃놀이를 본 적이 전혀 없었다.
→ 인어공주가 머리를 다시 내밀자 보이는 물 밖의 세상

해설

주어진 문장은 역접의 접속사로 시작하여 인어공주가 머리를 다시 밖으로 내밀었다는 내용이므로 이 앞에는 물속으로 들어가 있는 일이 언급되고 이후에는 머리를 내밀어 보게 되는 물 밖의 일에 대한 내용이 나올 것으로 예측할 수 있다. ④의 앞에서는 인어공주가 놀라서 물속으로 잠수해 들어갔다는(dove down) 내용이 언급되고, 뒤에서는 불꽃놀이를 보았다는(look!) 내용이 언급되고 있어 주어진 문장은 ④에 들어가야 한다.

어휘

pop 불쑥 내놓다　mermaid 인어　cabin 선실　handsome 멋진
excitement 즐거운 소란　deck 갑판　glitter 반짝이는 빛
startle 깜짝 놀라게 하다　fall down 떨어지다　firework 불꽃놀이

정답 ④

실전 예제 02

주어진 문장이 들어갈 위치로 알맞은 것은? 2023 국가직 9급

> They installed video cameras at places known for illegal crossings, and put live video feeds from the cameras on a Web site.

Immigration reform is a political minefield. (①) About the only aspect of immigration policy that commands broad political support is the resolve to secure the U.S. border with Mexico to limit the flow of illegal immigrants. (②) Texas sheriffs recently developed a novel use of the Internet to help them keep watch on the border. (③) Citizens who want to help monitor the border can go online and serve as "virtual Texas deputies." (④) If they see anyone trying to cross the border, they send a report to the sheriff's office, which follows up, sometimes with the help of the U.S. Border Patrol.

정답 해설

구조분석 및 해석

01 그들은 불법 이주가 있는 것으로 알려진 장소에 비디오카메라를 설치하고, 그리고 웹사이트에 카메라의 실시간 영상 게시물을 공개했다.
→ 중심 소재(Topic): 이민 개혁(Immigration reform)
예측: 앞: They가 지칭하는 대상
뒤: 웹사이트의 영상 게시물에 대한 부연 설명

02 이민 개혁은 정치적인 지뢰밭이다. (①) **03** 넓은 정치적 지지를 받는 이민 정책의 거의 유일한 측면이 불법 이민자들의 유입을 제한하기 위해 멕시코와 접한 미국의 국경을 보호하기 위한 결의이다. (②) **04** 최근 텍사스 경찰은 그들이 국경을 감시하는 것을 돕기 위해 인터넷을 새로운 방식으로 사용하는 법을 개발했다.
→ 텍사스 경찰이 국경 감시를 위해 인터넷을 사용하는 새로운 방식 개발

(③) **05** 국경 감시를 돕기 원하는 시민들은 온라인에 접속해 '가상 텍사스 부보안관'의 역할을 할 수 있다.
→ 부연: 시민들의 웹사이트 영상 게시물의 활용

(④) **06** 만약 누군가가 국경을 넘으려고 시도하는 것을 본다면 그들은 경찰서에 보고하고, 때로는 미국 국경 경비대의 도움을 받아 후속 조치를 취한다.

해설

중심 소재는 이민 개혁으로, 주어진 문장은 They로 시작하므로 앞에 They에 대한 언급이 와야 함을 유추할 수 있다. 또한 뒤에는 웹사이트의 카메라에서 얻어지는 영상의 효과가 와야 함을 유추할 수 있다. ③의 앞 문장에서 텍사스 경찰이 인터넷을 사용하는 새로운 방식을 개발하였다고 하였으므로, 주어진 문장의 they는 텍사스 경찰임을, 또한 주어진 문장의 내용은 앞에서 언급했던 a novel use of the Internet에 대한 설명임을 유추할 수 있다. 또한 ③의 뒤에서 시민들이 이러한 카메라의 영상을 이용하여 국경을 감시하는 효과가 이어지고 있으므로 주어진 문장은 ③의 위치가 가장 적합하다.

어휘

install 설치하다 **feed** (온라인) 게시물 **immigration** 이민
minefield 지뢰밭(위험한 분야) **aspect** 측면
command (관심 등을) 받다 **resolve** 결의 **secure** 보호하다
border 국경 **flow** 유입 **immigrant** 이민자 **sheriff** 경찰
novel 새로운 **monitor** 감시하다 **serve as** ~의 역할을 하다
virtual 가상의 **deputy**(= deputy sheriff) 부보안관
follow up 후속 조치를 취하다

정답 ③

종합문제 01

Chapter 03 글의 흐름 파악하기

주어진 글 다음에 이어질 글의 순서로 가장 적절한 것은?

2024 국가직 9급

Interest in movie and sports stars goes beyond their performances on the screen and in the arena.

(A) The doings of skilled baseball, football, and basketball players out of uniform similarly attract public attention.

(B) Newspaper columns, specialized magazines, television programs, and Web sites record the personal lives of celebrated Hollywood actors, sometimes accurately.

(C) Both industries actively promote such attention, which expands audiences and thus increases revenues. But a fundamental difference divides them: What sports stars do for a living is authentic in a way that what movie stars do is not.

① (A) - (C) - (B)
② (B) - (A) - (C)
③ (B) - (C) - (A)
④ (C) - (A) - (B)

정답 해설

구조분석 및 해석

01 영화와 스포츠 스타에 대한 관심은 스크린과 경기장에서의 성과를 넘어선다.
→ 중심 소재(Topic): 영화배우와 스포츠 스타에 관한 관심
예측: 영화배우와 운동선수의 사생활에 대한 대중의 관심을 부연 설명

(A) 02 유니폼을 입고 있지 않은 유능한 야구, 축구, 농구 선수들의 행동도 이와 비슷하게 대중들의 관심을 끌고 있다.
→ (A) 신호어: similarly
영화배우의 사생활에 관한 관심이 앞에 와야 함 ②

(B) 03 신문 칼럼, 전문 잡지, 텔레비전 프로그램, 웹사이트는 유명 할리우드 배우들의 사생활을 기록하며, 때로는 정밀하게 기록한다.
→ 영화배우 사생활에 관한 관심 언급 ①

(C) 04 두 산업 모두 그러한 관심을 적극적으로 홍보하는데, 이는 관중을 늘리고 그에 따라 수익을 증가시킨다. 05 그러나 근본적인 차이가 그것들(영화배우와 스포츠 스타)을 나눈다: 영화 스타들은 그렇지 않은 방식으로 스포츠 스타들이 생계를 위해 하는 일은 진정성이 있다.
→ 두 산업의 공통점(04)과 차이점(05) 언급 ③
신호어: But
앞에는 두 분야 스타의 공통점이 언급됨

해설

중심 소재는 영화배우와 스포츠 스타에 대한 관심이다. 주어진 문장에서는 영화와 스포츠 스타에 대한 관심이 각 분야를 넘어서 (사생활로) 이어진다고 말한다. (A)에서는 경기장 밖의 운동선수들에 대한 대중의 관심을 말하면서 similarly(비슷하게)라는 표현을 사용한다. 따라서 이 앞에 영화 스타의 사생활에 대한 대중의 관심이 먼저 언급되었을 것으로 추론할 수 있다. (B)에서 여러 언론과 대중이 할리우드 배우들의 사생활에 관심이 있다고 말하고 있으므로 (B) - (A)로 이어지는 것이 자연스럽다. (C)에서는 Both industries와 such attention으로 앞의 내용을 재진술하고 영화배우와 운동선수들의 공통점을 말한 후, But 이후로 둘의 차이점을 말하고 있으므로, ② (B) - (A) - (C)의 순서가 가장 자연스럽다.

어휘

interest 관심   go beyond ~을 넘어서다   performance 성과
arena 경기장   skilled 유능한   attract 끌다   attention 관심
specialized 전문적인   personal 사적인   celebrated 유명한
accurately 정밀하게   industry 산업   promote 홍보하다
audience 관중   revenue 수익   fundamental 근본적인
difference 차이   divide 나누다   do for a living 생계를 위해 하다
authentic 진정성이 있는   in a way 어느 정도

정답 ②

종합문제 02

Chapter 03 글의 흐름 파악하기

주어진 글 다음에 이어질 글의 순서로 알맞은 것은?

2023 국가직 9급

All civilizations rely on government administration. Perhaps no civilization better exemplifies this than ancient Rome.

(A) To rule an area that large, the Romans, based in what is now central Italy, needed an effective system of government administration.

(B) Actually, the word "civilization" itself comes from the Latin word *civis*, meaning "citizen."

(C) Latin was the language of ancient Rome, whose territory stretched from the Mediterranean basin all the way to parts of Great Britain in the north and the Black Sea to the east.

① (A) – (B) – (C)
② (B) – (A) – (C)
③ (B) – (C) – (A)
④ (C) – (A) – (B)

정답 해설

구조분석 및 해석

01 모든 문명은 정부의 통치에 의존한다. 02 고대 로마보다도 이를 더 잘 보여주는 문명은 아마도 없을 것이다.
→ 중심 소재(Topic): 문명과 정부 통치의 관계
예측: 로마 문명에 대한 부연 설명

(A) 03 그렇게 넓은 지역을 지배하려면, 지금의 중부 이탈리아에 기반을 둔 로마인들은 효과적인 정부 통치 체제가 필요했다.
→ 로마 제국의 넓은 영토를 지배하기 위한 수단 = 효과적인 통치 체제 ③

(B) 04 사실상 문명이라는 단어 자체가 라틴어 단어인 civis에서 유래되었고, 이는 '시민'을 의미한다.
→ 부연: 라틴어에서 유래한 단어 civilization(문명) ➡ civis(시민) ①

(C) 05 라틴어는 고대 로마의 언어였는데, 로마의 영토는 지중해 분지로부터 북쪽으로는 그레이트브리튼 일부와 동쪽으로는 흑해까지 뻗어 있었다.
→ 부연: 라틴어 = 영토가 넓은 고대 로마의 언어 ②

해설

중심 소재는 문명과 정부의 통치이며, 이 관계에 대해 설명한 글이다. (A)의 that large를 볼 때, 앞에 넓은 영토에 관한 설명이 와야 하는 것을 유추할 수 있다. 이는 (C)에서 whose territory 이하의 로마 제국의 넓은 영토에 관한 언급과 연결되어 (C) 뒤에 (A)가 와야 함을 유추할 수 있다. (C)는 라틴어에 관한 언급으로 시작되는데, 이는 (B)에서 라틴어라는 소재를 처음으로 언급한 후에 오는 것이 적합하다. 다시 말해서, 주어진 문장에서 로마의 civilization(문명)에 관해 언급한 후, Actually를 통해 civilization이 라틴어에서 유래했다고 하는 (B)가 먼저 오고 그 라틴어에 대한 부연 설명이 (C)로 이어지고 난 뒤, (C) 후반의 광대한 영토가 (A)의 로마가 지배했던 광대한 지역으로 이어지는 것이다. 따라서 ③ (B) – (C) – (A)의 순서가 가장 적합하다.

어휘

civilization 문명   administration 통치   exemplify 보여주다
rule 다스리다   based in ~에 기반을 둔   territory 영토
stretch 뻗어가다   basin 분지
Great Britain 그레이트브리튼: England, Scotland, Wales가 포함됨

정답 ③

종합문제 03

주어진 문장이 들어갈 위치로 가장 적합한 것은? 2023 지방직 9급

Yet, requests for such self-assessments are pervasive throughout one's career.

The fiscal quarter just ended. Your boss comes by to ask you how well you performed in terms of sales this quarter. How do you describe your performance? As excellent? Good? Terrible? (①) Unlike when someone asks you about an objective performance metric (e.g., how many dollars in sales you brought in this quarter), how to subjectively describe your performance is often unclear. There is no right answer. (②) You are asked to subjectively describe your own performance in school applications, in job applications, in interviews, in performance reviews, in meetings — the list goes on. (③) How you describe your performance is what we call your level of self-promotion. (④) Since self-promotion is a pervasive part of work, people who do more self-promotion may have better chances of being hired, being promoted, and getting a raise or a bonus.

구조분석 및 해석

01 그러나 그러한 자기 평가에 대한 요청은 당신의 경력 전반에 걸쳐 만연해 있다.
→ 중심 소재(Topic): 자기 평가(self-assessments)
  예측: 앞: self-assessments에 관한 언급
       뒤: self-assessments에 관한 요청이 만연한 실태 부연 설명
  신호어: Yet, such

02 회계 분기가 막 끝났다. **03** 이번 분기의 판매에 대해 당신이 얼마나 잘 했는지를 묻기 위해 당신의 상사가 온다. **04** 당신은 자신의 실적을 어떻게 설명할 것인가? 뛰어나다고? 괜찮다고? 형편없다고?
→ 일반 진술: 회사에서 자기 평가가 요구된다.

(①) **05** 객관적 성과 검증(예를 들어 이번 분기에 당신이 가져온 판매 액수가 얼마인지)에 관해 누군가 당신에게 묻는 것과는 달리, 주관적으로 자신의 실적을 설명하는 것은 종종 애매하다. **06** 정답은 없다.
→ 주관적 평가인 자기 평가의 애매함

(②) **07** 학교 지원서, 취업 지원서, 면접, 업무 평가, 회의 등에서 — 목록은 끝이 없다 — 당신은 자신의 실적을 주관적으로 설명하라는 요청을 받게 된다.
→ 예시: 주관적 자기 평가가 요구되는 다양한 영역

(③) **08** 당신의 실적을 어떻게 설명할지가 바로 소위 자기 홍보의 수준이 된다. (④) **09** 자기 홍보는 업무의 만연한 부분이기 때문에 자기 홍보를 더 많이 하는 사람들은 채용되거나 승진하거나 임금인상, 또는 보너스를 받을 가능성이 더 높을 수 있다.
→ 결론: 자기 평가는 자기 홍보의 방식이다.

해설

중심 소재는 자기 평가이고, 자기 평가의 개념에 대해 다루고 있는 글이다. 주어진 문장은 자기 평가가 자신의 경력 전반에 걸쳐 광범위하게 요청된다는 내용이다. Yet으로 시작되었으므로 앞 문장과는 역접이나 전환이 이루어져야 함을, '그러한(such)' 자기 평가라고 했으므로 자기 평가에 관한 내용이 앞에 언급되어야 함을 유추할 수 있다. 뒤 문장에서는 광범위한 자기 평가에 대한 요청과 관련된 부연 설명이 올 것임을 예상할 수 있다. ②의 앞 문장에서는 자기 평가는 종종 애매하며 정답이 없다는 내용이 온다. 이 내용이 주어진 문장의 Yet으로 이어져 그러나 이러한 자기 평가에 대한 요청이 광범위하게 있다고 이어진다. 또한 ②의 뒤 문장에서는 자기 평가가 요청되는 광범위한 분야에 대한 부연 설명이 '학교 지원서, 취업 지원서, 면접, 업무 평가, 회의' 등의 구체적인 예시로 이어진다. 따라서 정답은 ②이다.

어휘

self-assessment 자기 평가　pervasive 만연한
fiscal quarter 회계 분기　come by 들르다
perform (업무 등을) 수행하다　in terms of ~에 관하여
describe 설명하다　performance 성과　objective 객관적인
performance metric 성과 검증　subjectively 주관적으로
application 지원(서)　what we call 소위　self-promotion 자기 홍보

정답 ②

종합문제 04

주어진 문장이 들어갈 위치로 가장 적절한 것은? 2024 국가직 9급

01
Tribal oral history and archaeological evidence suggest that sometime between 1500 and 1700 a mudslide destroyed part of the village, covering several longhouses and sealing in their contents.

02
From the village of Ozette on the westernmost point of Washington's Olympic Peninsula, members of the Makah tribe hunted whales. (①) 03 They smoked their catch on racks and in smokehouses and traded with neighboring groups from around the Puget Sound and nearby Vancouver Island. (②) 04 Ozette was one of five main villages inhabited by the Makah, an Indigenous people who have been based in the region for millennia. (③) 05 Thousands of artifacts that would not otherwise have survived, including baskets, clothing, sleeping mats, and whaling tools, were preserved under the mud. (④) 06 In 1970, a storm caused coastal erosion that revealed the remains of these longhouses and artifacts.

구조분석 및 해석

01 부족의 구전 역사와 고고학적 증거가 1500년과 1700년 사이 한때 진흙사태가 마을의 일부를 파괴하여 몇몇 공동주택을 뒤덮고 그 내용물들을 밀봉했다는 것을 암시한다.
→ 중심 소재(Topic): Makah 부족의 유물의 고고학적 발견
예측: 앞: 부족에 대한 언급
뒤: 진흙사태로 인한 결과

02 워싱턴주 올림픽 반도의 가장 서쪽 지점에 있는 Ozette 마을에서 온 Makah 부족민들은 고래를 사냥했다. (①) **03** 그들은 자신들의 포획물을 그물 선반 위에서 그리고 훈연소 안에서 훈연했으며 푸젯만과 밴쿠버섬 주변에서 온 이웃 집단들과 거래했다. (②) **04** Ozette는 수천 년 동안 그 지역에 기초를 두고 있는 토착민들의 하나인 Makah족이 거주했던 다섯 개의 주요 마을 중 하나였다.
→ Makah족에 대한 언급

(③) **05** 그렇지 않았다면 살아남지 못했을 바구니, 의복, 수면용 매트, 그리고 고래잡이 도구들이 포함된 수천 개의 인공물이 진흙 아래서 보존되었다.
→ 신호어: otherwise: 그렇지 않았다면 살아남지 못했을 것
➡ 유물이 살아남을 수 있던 이유가 앞에 언급되었을 것임

(④) **06** 1970년 폭풍이 해안 침식을 일으켜서 이들 공동주택과 인공물의 유적을 드러냈다.

해설

중심 소재는 Makah 부족 유물의 고고학적 발견이다. 주어진 문장에서 주어가 부족의 구전 역사의 고고학적 증거이고 뒤에 진흙사태가 공동주택을 뒤덮고 내용물을 밀봉했다고 했으므로 이 앞에는 부족과 관련된 내용이 나오고 뒤에는 진흙사태가 뒤덮고 밀봉한 결과가 나올 것임을 유추할 수 있다. ③의 앞에서 토착민들의 하나인 Makah족의 생활에 대해 언급되어 있고 뒤에는 진흙 사태가 아니었으면 살아남지 못했을 수천 개의 인공물이 진흙 아래서 보존되었다고 했으므로 주어진 문장은 ③에 들어가는 것이 가장 적절하다.

어휘

tribal 부족의 archaeological 고고학적인 mudslide 진흙사태
longhouse 공동주택 seal 밀봉하다 westernmost 가장 서쪽의
smoke 훈연하다 catch 포획물 rack 그물 선반
smokehouse 훈제소 sound (작은) 만 inhabit 거주하다
indigenous 토착의 base 기초를 두다
millennium 1000년 (pl. millennia) artifact 인공물
survive 살아남다 whaling 고래잡이 preserve 보존하다
coastal 해안의 erosion 침식 reveal 드러내다 remains 유적

정답 ③

memo

memo

memo